いちばんわかりやすい！

運行管理者〈旅客〉合格テキスト

本書で使われる略語一覧

道路運送法………………………………………	運送法
道路運送車両法…………………………………	車両法
旅客自動車運送事業運輸規則…………………	運輸規則
旅客自動車運送事業者が事業用自動車の運転者 に対して行う指導及び監督の指針 （平成13年国土交通省告示第1676号）…………	指導監督指針
自動車運転者の労働時間等の改善のための基準 （平成元年労働省告示第7号）…………………	改善基準
自動車事故報告規則……………………………	事故報告規則
道路運送車両の保安基準………………………	保安基準
道路運送車両の保安基準の細目を定める告示 （平成14年国土交通省告示第619号）…………	細目告示
道路交通法………………………………………	道交法
労働基準法………………………………………	労基法
貸切バスの交替運転者の配置基準……………	配置基準

本書は、原則として2024年2月2日現在の法令等に基づいて編集しています。
ただし、改善基準は2024年4月1日施行

JN012093

成美堂出版

本書の使い方

本書は、運行管理者〈旅客〉試験を詳細に分析し、合格するために必要な情報を厳選した上、内容をわかりやすく解説したものです。本書の内容をマスターすることで、試験に合格できるチカラが身に付きます。また、押さえておきたい知識は付属の赤シートを用いることで、記憶の確認ができます。

各項目（ROAD）の重要度が、ひと目でわかる！
各項目（ROAD）の冒頭では、3段階の重要度を示しています。学習のメリハリに役立ちます。

わかりやすい分類とポイントの指南で効率UP！
出題テーマを理解しやすい項目（ROAD）ごとにまとめ、各項目の学習ポイントを指南します。

第1章 運送法関係

ROAD 4 運送約款

重要度

合格への道　運送約款の出題頻度はあまり高くない。選択肢の1つとして問われることが多いが、難度はさほど高くはない。ポイントをしっかりチェックしておけば、試験対策としては十分であろう。

CHECK 1 運送約款（運送法第11条第1項、第12条第1項）

運送約款とは、事前に運送者と荷主の間で、運送契約の内容を定めたものである。契約内容を定型化して、多数の荷主との間での法律関係を画一的、迅速に処理することを目的として、事業者は、この運送約款に従うことになる。

そして、一般旅客自動車運送事業者は、運送約款を定め、国土交通大臣の認可を受けなければならない。同様に、運送約款を変更しようとするときも、国土交通大臣の認可を受けなければならない。

また、一般旅客自動車運送事業者（一般乗用旅客自動車運送事業者を除く）は、国土交通省令で定めるところにより、運賃及び料金並びに運送約款を公示しなければならない。

ポイント　事業者は運送約款を定めたとき、国土交通大臣の「認可」を受けなければならないのであって、「届出」ではない。また、運送約款を変更したときも認可が必要とされている点に注意しよう。

注意点等は「ポイント」や「補足」でチェック！
学習する上で気を付けたい事項は「ポイント」で指南します。学習の参考にしてください。

ちょこっとアドバイス!!
「認可」と「届出」の違いは、簡単にいうと、国土交通大臣などの行政官庁に、申出があった事項を認めるかどうかを決める権限があるかどうかによる。すなわち、「認可」の場合には、行政官庁に申出を認めるかどうかの権限があるのに対し、「届出」の場合には権限がなく、届出があればその事項の申出を認めることになる。どちらが国民にとってより重い規制にあたるかというと、「認可」である。だから、重要な事項については「認可」とされ、比較的重要度が低い事項については「届出」とされている。

「ちょこっとアドバイス!!」で、より深い理解ができる！
試験に直接は関係しないものの、知っておくと理解の助けになる情報等も掲載しています。より深い理解の助けになります。

本書は、原則として、2024年2月2日現在施行中の法令等に基づいて編集しています。**各試験の出題法令基準日までに施行される法改正情報は、本書最終ページに記載のアドレスで確認できます。**

ゴロ 非常（非常信号用具）に、低姿勢（停止表示器材）な
200個のやかん（夜間200m）。

> **理解を助ける図表やまとめも盛りだくさん！**
>
> 文章のみでは理解が難しかったり、わかりにくい事項については、理解を助ける図表やまとめも多数入っています。理解力のUPに役立ちます！
> 時には「ゴロ合わせ」も出てきます！

CHECK ☐ 2 標準運送約款（運送法第11条第3項）

　国土交通大臣が一般旅客自動車運送事業の種別に応じて、**標準運送約款**を定めて**公示**した場合で、事業者が標準運送約款と同一の運送約款を定めたとき、又は現に定めている運送約款を標準運送約款と同一のものに変更したときは、その運送約款については、国土交通大臣の認可を受けたものとみなされる。

4 運送約款

■ 運送約款と標準運送約款のまとめ ■

┌─────────────────────────────────────┐
│ **運送約款を定めたとき、変更したとき**   認可   │
│ ➡原則として、国土交通大臣の認可が必要。   │
│ ただし、   │
│ ┌──────────────────────────────┐   │
│ │ 標準運送約款と同一の運送約款を定めた とき   │   │
│ │ 現在の運送約款を標準運送約款と同一に変更したとき │   │
│ └──────────────────────────────┘   │
│ ➡国土交通大臣の認可を受けたものとみなされるので、届出などの   │
│ 　手続は不要。   │
└─────────────────────────────────────┘

> **重要ポイントが、赤シートで隠れる！隠せる！**
>
> 覚えておきたい重要なポイントを赤字にしてあります。付属の赤シートで隠すことができるので、いつでも、どこでも知識の確認ができます！

過去問にチャレンジ！

① 一般旅客自動車運送事業者（一般乗用旅客自動車運送事業者を除く。）は、運賃及び料金並びに運送約款を営業所その他の事務所において公衆に見やすいように掲示しなければならない

② 一般旅客自動車運送事業者は、運送約款を定め、又はこれを変更しようとするときは、あらかじめ、その旨を国土交通大臣に届け出なければならない

- -

答
① ○　運送法第12条第1項に○○

② ×　運送約款を定めるときだけでなく、これを変更しようとするときも国土交通大臣の認可を受けなければならない。届出ではない。

実際の本試験問題（過去問題）をすぐに確認できる！

各項目（ROAD）の最後には、その項目（ROAD）に関して出題された実際の本試験問題（過去問題）と解説を掲載しています。実際にどのような形で出題されているか、また、各項目（ROAD）の学習の確認がすぐにできます！

なお、令和3年度試験よりCBT試験（テストセンターのパソコンを使用した試験）へ完全に移行しましたが、出題内容に変化はありません。ただし、図や標識等を用いた問題はカラーで出題されることがあり、そのような過去問題を掲載する際は注意書きを入れてあります。また、出題後に法改正のあった過去問題等については一部改題しています。

いちばんわかりやすい！ 運行管理者〈旅客〉合格テキスト

C O N T E N T S

受験ガイダンス（例年）

注意）この情報は本書編集時のものであり、変更される場合があります。受験される方は、ご自身で事前に必ず試験実施機関の発表する最新情報を確認してください。

1. 試験内容（合計30問：CBT試験）

分　　野	出題数
(1) 道路運送法関係	(8問)
(2) 道路運送車両法関係	(4問)
(3) 道路交通法関係	(5問)
(4) 労働基準法関係	(6問)
(5) その他運行管理者の業務に関し必要な実務上の知識及び能力	(7問)

※法令等の改正があった場合は、改正された法令等の施行後6ヵ月間は改正前と改正後で解答が異なることとなる問題は出題されません。

◆**合格基準**（次の①及び②の得点を満たしていること）

①　原則として、総得点が満点の60％（30問中18問）以上あること。

②　上記表（1）〜（4）の正解が各1問以上、（5）は2問以上あること。

2. 試験日程　　CBT試験：8月頃及び3月頃の年2回、それぞれ1ケ月程度の期間で実施。

3. 受験手数料　　6,000円（非課税）この他、次の①②のいずれか1つが必要。

〔インターネット申請利用料等〕

①新規受験申請：660円（税込）（システム利用料）

②再受験申請：860円（税込）（システム利用料、事務手数料）

　また、**試験結果レポートを希望し、別途申込み**を行った受験者には試験結果レポートが通知されます。**試験結果レポートの手数料は140円**となっています（税込）。

◆試験に関する問い合わせ先

（公財）運行管理者試験事務センター
TEL 03-6635-9400（平日 9:00 〜 17:00 はオペレータ対応）
オペレータ対応時間外は自動音声案内のみの対応
ホームページ　https://www.unkan.or.jp

第1章

運送法関係

ROAD 1

運送法の目的と定義

重要度

 合格への道　運送法の目的は、まれに穴埋め問題として出題される程度なので、試験前に一読する程度で十分だろう。ただし、事業の各定義は選択肢の1つとして頻出なので、きちんと押さえておこう。

CHECK □ 1　運送法の目的（運送法第1条）

どの法律にも、作られた目的がちゃんとある。各法律の目的は穴埋め問題で問われることが多いので、対策としてキーワード部分を押さえておこう。

法律の文章を読み慣れていない人は、下の条文の意味がよくわからないかもしれない。しかし結論をいってしまえば、今のところ、この目的の条文が出題される場合は、**赤字部分のどれかが空欄になっていて、語句を選択して入れればよい問題しか出ていないので、何が入るのかを覚えていれば対応できる。**

第1条
この法律は、貨物自動車運送事業法と相まつて、**道路運送事業の運営を適正かつ合理的なもの**とし、並びに**道路運送の分野における利用者の需要の多様化及び高度化に的確に対応したサービスの円滑かつ確実な提供を促進**することにより、**輸送の安全を確保**し、**道路運送の利用者の利益の保護及びその利便の増進**を図るとともに、**道路運送の総合的な発達**を図り、もつて**公共の福祉を増進**することを目的とする。

なお、最後の赤字の「公共の福祉」とは、簡単にいえば、自分1人だけではなく、**皆の役に立つように**…くらいのイメージでよいであろう。

 ちょこっとアドバイス!!

運送法の目的について、以前はよく出題されていたが、近年はあまり出題されていない。余力があれば押さえておく程度でよい。

第2章の「車両法」の目的と混同しないようにしよう！

82ページでも触れるが…せっかくなのでここでも。

車両法の目的（第1条）

この法律は、道路運送車両に関し、所有権についての公証等を行い、並びに安全性の確保及び公害の防止その他の環境の保全並びに整備についての技術の向上を図り、併せて自動車の整備事業の健全な発達に資することにより、公共の福祉を増進することを目的とする。

車両法では、「所有権の公証」、「公害・環境」、「整備」というキーワードが入っていることに注目だ！

 過去問にチャレンジ！

道路運送法の目的に関する次の文中、A、B、C、Dに入るべき字句の組合せとして、正しいものはどれか。

　この法律は、貨物自動車運送事業法と相まって、道路運送事業の運営を　A　なものとし、並びに道路運送の分野における利用者の需要の多様化及び高度化に的確に対応したサービスの円滑かつ確実な提供を促進することにより、　B　し、　C　の利益の保護及びその利便の増進を図るとともに、道路運送の　D　を図り、もって公共の福祉を増進することを目的とする。

	A	B	C	D
1.	適正かつ合理的	経営の効率を向上	自動車運送事業者	輸送秩序の確保
2.	適正かつ合理的	輸送の安全を確保	道路運送の利用者	総合的な発達
3.	健全かつ継続的	輸送の安全を確保	自動車運送事業者	総合的な発達
4.	健全かつ継続的	経営の効率を向上	道路運送の利用者	輸送秩序の確保

答　2　左ページの運送法第1条参照。

2　旅客自動車運送事業などの定義（運送法第2条、第3条）

　そもそも、「道路運送事業」とは、自動車道事業、旅客自動車運送事業、貨物自動車運送事業の3つを意味し、「自動車運送事業」とは、旅客自動車運送事業及び貨物自動車運送事業をいう。ここに「自動車道事業」は含まれないので注意しよう。

　そして、旅客自動車運送事業とは、他人の需要に応じ、有償で、自動車を使用して旅客を運送する事業であって、一般旅客自動車運送事業及び特定旅客自動車運送事業をいう。

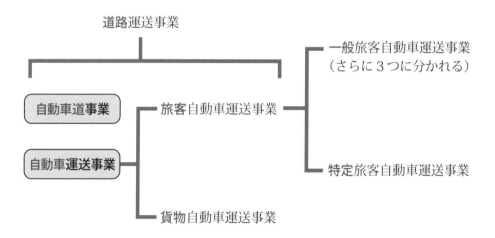

　一般旅客自動車運送事業は、さらに3つに分けることができるので、結果として、「旅客自動車運送事業」は次ページの4つの事業となる。

──────（ 過去問にチャレンジ！ ）　問題 ──────

① 　自動車運送事業とは、旅客自動車運送事業、貨物自動車運送事業及び自動車道事業をいう。

② 　旅客自動車運送事業とは、他人の需要に応じ、有償で、自動車を使用して旅客を運送する事業であって、一般旅客自動車運送事業及び特定旅客自動車運送事業をいう。

ちょこっとアドバイス!!

試験で問われる事業は、基本的に、この事業と考えてOK！

一般旅客自動車運送事業

　一般乗合旅客自動車運送事業

　いわゆる**乗合バス（路線バス）**をイメージしよう。他人の需要に応じ、**有償**で、自動車を使用して旅客を運送する事業のうち、**不特定多数の旅客を運送するバス**のこと。高速バスなどもこれにあたる。

　一般貸切旅客自動車運送事業

　貸切バス、観光バスをイメージしよう。**一個の契約により、乗車定員11人以上の自動車を貸し切って旅客を運送する事業**のこと。

　一般乗用旅客自動車運送事業

　タクシーやハイヤーをイメージしよう。**一個の契約により、乗車定員11人未満の自動車を貸し切って旅客を運送する事業**のこと。

特定旅客自動車運送事業

　特定の事業所の通勤用や、**特定の教育機関の通学用**など、特定の需要に対応したバスをイメージしよう。

―――――〈 **過去問にチャレンジ！** 〉 **解答** 〉―――――

① ×　運送法第2条第2項によると、「自動車運送事業」とは、旅客**自動車運送事業**及び貨物**自動車運送事業**をいう。「自動車道」事業は含まれない。

② ○　運送法第2条第3項及び第3条により正しい。

ROAD 2　一般旅客自動車運送事業の許可^{きょか}

重要度 🚌🚌🚌

合格への道　一般旅客自動車運送事業の許可について、事業の許可・申請は選択肢の1つとして出題されることが多い。許可の取消し等は、条文の穴埋め問題が出題されることもあるので、注意しておこう。

CHECK ☐

1　事業の許可・申請・更新（運送法第4条、第5条、第8条）

　一般旅客自動車運送事業を経営しようとする者は、一般乗合旅客自動車運送事業、一般貸切旅客自動車運送事業、一般乗用旅客自動車運送事業の**種別**ごとに国土交通大臣の**許可**を受けなければならない。

　そして、この許可を受けようとする者は、**国土交通大臣**に提出する申請書に、事業用自動車の運行管理の体制その他の国土交通省令で定める事項を記載した書類を添付^{てんぷ}しなければならない。

許可申請書の記載事項（参考）

①氏名又は名称及び住所並びに法人にあっては、その代表者の氏名
②経営しようとする一般旅客自動車運送事業の種別
③路線又は営業区域、営業所の名称及び位置、営業所ごとに配置する事業用自動車の数その他の一般旅客自動車運送事業の種別ごとに国土交通省令で定める事項に関する事業計画など

　また、**一般貸切旅客自動車運送事業の許可**については、5年ごとにその更新を受けなければ、その**期間の経過**によって、その**効力が失われる**。

ゴロ　今日から行進！5年ごと！（許可の更新は5年ごと）

ポイント　〈許可であり認可^{にんか}ではない〉
　一般旅客自動車運送事業を始めようとする者が受けなければならないのは、**国土交通大臣の許可**であり、**認可ではない**ことに注意しよう。このヒッカケ問題は度々出題されている。

□ 2　許可の取消し等（運送法第7条、第40条）

　国土交通大臣は、**一般旅客自動車運送事業者が次のいずれかに該当する**ときは、**事業の許可を取り消すことができる。**

　また、許可の取消しではなく、**6ヵ月以内において期間を定めて、自動車その他の輸送施設の当該事業のための使用の停止、**もしくは**事業の全部又は一部の停止**を命じることもできる。

許可の取消し等の事由

①**運送法**もしくは**同法に基づく命令**もしくは**これらに基づく処分又は許可**もしくは**認可に付した条件に違反したとき。**

②**正当な理由なく、許可又は認可を受けた事項を実施しないとき。**

③運送法第7条第1号、第7号、第8号の欠格事由に該当したとき。

↓

これらのいずれかにあたると、
次のいずれかの処分が下される。

6ヵ月以内の自動車その他の輸送施設の使用停止命令

6ヵ月以内の事業停止命令

事業の許可の取消し

　また、国土交通大臣は、**一般旅客自動車運送事業の許可を受けようとする**者が、**一般旅客自動車運送事業又は特定旅客自動車運送事業の許可の取消しを受け、その取消しの日から5年を経過していない者**であるときは、**当該事業の許可をしてはならない。**

　この「許可を受けようとする者」については、許可の**取消しを受けた者が法人**である場合で、当該取消しを受ける原因が発生した当時、**現にその法人の業務を執行する役員**（いかなる名称によるかを問わず、これと同等以上の職権又は支配力を有する者を含む）として在任した者で、当該取消しの日から5年を経過していない者を含む。

3　乗合旅客の運送（運送法第 21 条）

　　一般貸切旅客自動車運送事業者及び一般乗用旅客自動車運送事業者は、右ページに掲げる場合に限り、乗合旅客の運送をすることができる。

── 過去問にチャレンジ！ 問題 ──

① 　一般貸切旅客自動車運送事業の許可は、5 年ごとにその更新を受けなければ、その期間の経過によって、その効力を失う。

② 　一般旅客自動車運送事業の許可の取消しを受けた者は、その取消しの日から 2 年を経過しなければ、新たに一般旅客自動車運送事業の許可を受けることができない。

③ 　旅客自動車運送事業の許可の取消し等に関する次の文中、A・B・C・D に入るべき字句の組合せとして、正しいものはどれか。

　　国土交通大臣は、一般旅客自動車運送事業者が道路運送法若しくは同法に基づく命令若しくはこれらに基づく │ A │ 又は許可若しくは認可に付した │ B │ に違反したときは、│ C │ 以内において期間を定めて │ D │ その他の輸送施設の当該事業のための使用の停止若しくは事業の停止を命じ、又は許可を取り消すことができる。

	A	B	C	D
1.	指導	事項	3 ヵ月	営業所
2.	指導	条件	3 ヵ月	自動車
3.	処分	条件	6 ヵ月	自動車
4.	処分	事項	6 ヵ月	営業所

④ 　一般貸切旅客自動車運送事業者及び一般乗用旅客自動車運送事業者は、災害の場合その他緊急を要するとき、又は一般乗合旅客自動車運送事業者によることが困難な場合において、一時的な需要のために国土交通大臣の許可を受けて地域及び期間を限定して行う場合に限り、乗合旅客の運送をすることができる。

◆ 一般貸切・一般乗用旅客自動車運送事業者の乗合旅客の運送

> ①災害の場合その他緊急を要するとき。
> ②一般乗合旅客自動車運送事業者によることが困難な場合において、**一時的な需要**のために**国土交通大臣の許可**を受けて、**地域及び期間**を限定して行うとき。

〈過去問にチャレンジ！〉解答

① ○　運送法第8条第1項により正しい。

② ×　一般旅客自動車運送事業の許可の取消しを受けた者は、その取消しの日から5年を経過しなければ、新たに一般旅客自動車運送事業の許可を受けることができない。

③ 3　許可の取消し等の要件は、事業者が運送法もしくは運送法に基づく命令に違反したとき、もしくは運送法等の規定による「**処分**」又は許可もしくは認可に付した「**条件**」に違反したときなので、A、Bにはそれぞれ「**処分**」「**条件**」が入る。また、事業停止を命じることができる期間は「**6ヵ月**」以内、事業停止のほかに国土交通大臣が命じることができるのは、「**自動車**」その他の輸送施設の使用の停止なので、C、Dにはそれぞれ「**6ヵ月**」「**自動車**」が入る。

 ちょこっとアドバイス!!

運行管理者試験では、過去に出題された問題がほぼそのまま再び出題されることが多い。本書の学習が終わったら過去問にもチャレンジしよう！

④ ○　運送法第21条第1号及び第2号により正しい。

ROAD 3　事業計画とその変更

重要度　🚗🚗🚗

> **合格への道**　事業計画は、ほぼ毎回のように出題される。特に事業計画の変更があった場合、「認可」が必要なのか、「届出」で足りるのか、また、特に「事前の届出」が必要となるケースは押さえておこう。

CHECK
☐ **1　事業計画とその変更（運送法第15条、第15条の2、第15条の3、第16条）**

　一般旅客自動車運送事業者は、天災その他やむを得ない事由がある場合のほかは、**事業計画**（路線定期運行を行う一般乗合旅客自動車運送事業者の場合は、事業計画及び運行計画）に定めるところに**従わなければならない**。

　そして、**事業計画を変更**するとき、事業者は、原則として、国土交通大臣の**認可**を受けなければならないが、一定の場合は「届出」で足りる。

　さらに、この「届出」で足りる場合でも、**特定の事項については「あらかじめの届出」**が必要となる。

🚌 **ポイント**　**事業計画の変更**をする際には、国土交通大臣の「**認可**」が必要になるものと、「**届出**」で足りるものの2種類がある。
そして、「届出」で足りるものの中にも「**あらかじめ**」の届出が必要なものと、変更後に「**遅滞なく**」届け出れば足りるものの2種類がある。

◆事業計画の変更には…

原則 …… 認可が必要。

例外 …… 届出で足りる。　　「あらかじめ」届け出る必要があるものと、「遅滞なく」でよいものがある。

以上のうち、**特定の「認可」**が必要になるものと、「**あらかじめ**」の届出が必要となるものを押さえて、その他は「**遅滞なく**」届け出ればよいと覚えていれば、試験には対応できる。

> 覚えておきたい「認可」が必要
> となる事業計画の変更

「自動車車庫の位置及び収容能力」

> 覚えておきたい「あらかじめの届出」が必要
> となる事業計画の変更

①「営業所ごとに配置する事業用自動車の数」

②路線定期運行を行う一般乗合旅客自動車運送事業者に対する、
　路線（路線定期運行に係るものに限る）の休止又は廃止

　※正確には、あらかじめではなく、その6ヵ月前（旅客の利便を阻害しないと認め
　　られる国土交通省令で定める場合30日前）である。

上記以外は、変更後に「遅滞なく」「届出」を行えばよいと考える。

＜参考＞「事後の届出」で足りる主な事業計画の変更事項

　①営業所の**名称**

　②主たる事務所の**名称及び位置**

　③停留所又は乗降地点の**名称及び位置**

　④停留所間又は乗降地点間の**キロ程**、など

> これらは国土交通省令で
> 定められている「**軽微な
> 変更**」なんだな。

2　禁止行為（運送法第20条）

　一般旅客自動車運送事業者は、発地及び着地のいずれもがその営業区域外に存する旅客の運送（路線を定めて行うものを除く。「営業区域外旅客運送」という）をしてはならない。ただし、次に掲げる場合は、この限りでない。

◆「営業区域外旅客運送」ができる場合

①災害の場合その他緊急を要するとき。
②地域の旅客輸送需要に応じた運送サービスの提供を確保することが困難な場合として国土交通省令で定める場合に、地方公共団体、一般旅客自動車運送事業者、住民その他の国土交通省令で定める関係者間において当該地域における旅客輸送を確保するため営業区域外旅客運送が必要であることについて協議が調った場合であって、輸送の安全又は旅客の利便の確保に支障を及ぼすおそれがないと国土交通大臣が認めるとき。

─────《 過去問にチャレンジ！　問題 》─────

① 　一般旅客自動車運送事業者は、天災その他やむを得ない事由がある場合のほか、事業計画（路線定期運行を行う一般乗合旅客自動車運送事業者にあっては、事業計画及び運行計画）に定めるところに従い、その業務を行わなければならない。

② 　一般旅客自動車運送事業者（以下「事業者」という。）の事業計画の変更等に関する次の記述のうち、正しいものを2つ選びなさい。なお、解答にあたっては、各選択肢に記載されている事項以外は考慮しないものとする。

1. 路線定期運行を行う一般乗合旅客自動車運送事業者の路線（路線定期運行に係るものに限る。）の休止又は廃止に係る変更をしようとするときは、国土交通大臣の認可を受けなければならない。
2. 　事業者は、「自動車車庫の位置及び収容能力」の事業計画の変更をしようとするときは、国土交通大臣の認可を受けなければならない。
3. 　事業者は、「営業所ごとに配置する事業用自動車の数」の事業計画の変更をしたときは、遅滞なく、その旨を国土交通大臣に届け出なければならない。
4. 　一般貸切旅客自動車運送事業者は、「営業所の名称」の変更をしたときは、遅滞なく、その旨を国土交通大臣に届け出なければならない。

CHECK □ 3　運転者等の選任（運輸規則第 35 条、第 36 条）

　旅客自動車運送**事業者は、事業計画**（路線定期運行を行う一般乗合旅客自動車運送事業者の場合、事業計画及び運行計画）**の遂行に十分な数の事業用自動車の運転者を常時選任しておかなければならない。**

　この場合に選任する**運転者等は、日々雇い入れられる者、2 ヵ月以内の期間を定めて使用される者又は試用期間中の者**（14 日を超えて、引き続き使用されるに至った者を除く）**であってはならない。**

――――――――――――《 過去問にチャレンジ！》解答 ―――――――――――

① 　○　運送法第 16 条第 1 項のとおりである。

② 　2 と 4

　選択肢 1 について、路線定期運行を行う一般乗合旅客自動車運送事業者の路線（路線定期運行に係るものに限る）の休止又は廃止に係る変更は、その **6 ヵ月前**（旅客の利便を阻害しないと認められる国土交通省令で定める場合は **30 日前**）の届出が必要であり、国土交通大臣の認可ではない。

　選択肢 2 について、「自動車車庫の位置及び収容能力」の事業計画の変更をしようとするときは、国土交通大臣の認可が必要であり正しい。

　選択肢 3 について、「営業所ごとに配置する事業用自動車の数」の事業計画の変更をしたときは、**あらかじめ**、その旨を国土交通大臣に届け出なければならない。「遅滞なく」ではない。

　選択肢 4 について、「営業所の名称」の変更は、**遅滞なく**、その旨を国土交通大臣に届け出なければならないので正しい。

ROAD 4 運送約款 (やっかん)

重要度

 合格への道　運送約款の出題頻度はあまり高くない。選択肢の1つとして問われることが多いが、難度はさほど高くはない。ポイントをしっかりチェックしておけば、試験対策としては十分であろう。

CHECK

☐ **1　運送約款（運送法第11条第1項、第12条第1項）**

　運送約款とは、事前に運送者と荷主の間で、**運送契約の内容を定めたもの**である。契約内容を定型化して、多数の荷主との間での法律関係を画一的(かくいつてき)、迅速(じんそく)に処理することを目的として、事業者は、この運送約款に従うことになる。

　そして、一般旅客自動車運送**事業者は、運送約款を定め、国土交通大臣の認可を受けなければならない**。同様に、**運送約款を変更しようとするときも**、**国土交通大臣の認可を受けなければならない**。

　また、**一般旅客自動車運送事業者（一般乗用旅客自動車運送事業者を除く）**は、国土交通省令で定めるところにより、**運賃及び料金並びに運送約款を公示しなければならない**。

ポイント　事業者は**運送約款**を定めたとき、国土交通大臣の「**認可**」を受けなければならないのであって、「**届出**」ではない。また、**運送約款を変更したときも認可が必要**とされている点に注意しよう。

 ちょこっとアドバイス!!

「認可」と「届出」の違いは、簡単にいうと、国土交通大臣などの**行政官庁に**、申出があった事項を**認めるかどうかを決める権限があるか**どうかによる。すなわち、「認可」の場合には、行政官庁に申出を認めるかどうかの権限があるのに対し、「届出」の場合には権限がなく、届出があればその事項の申出を認めることになる。どちらが国民にとってより**重い規制にあたる**かというと、「**認可**」である。だから、**重要な事項については「認可」**とされ、比較的**重要度が低い事項については「届出」**とされている。

CHECK ☐ 2　標準運送約款（運送法第 11 条第 3 項）

国土交通大臣が一般旅客自動車運送事業の種別に応じて、**標準運送約款**を定めて公示した場合で、**事業者が標準運送約款と同一の運送約款を定めたとき、又は現に定めている運送約款を標準運送約款と同一のものに変更したときは、その運送約款については、国土交通大臣の認可を受けたものとみなされる。**

■ 運送約款と標準運送約款のまとめ ■

(運送約款を定めたとき、変更したとき)

➡原則として、国土交通大臣の認可が必要。

ただし、

(標準運送約款と同一の運送約款を定めたとき
現在の運送約款を標準運送約款と同一のものに変更したとき)

➡国土交通大臣の認可を受けたものとみなされるので、届出などの手続は必要ない。

――――――――(過去問にチャレンジ！)――――――――

① 　一般旅客自動車運送事業者（一般乗用旅客自動車運送事業者を除く。）は、運賃及び料金並びに運送約款を営業所その他の事務所において公衆に見やすいように掲示しなければならない。

② 　一般旅客自動車運送事業者は、運送約款を定め、又はこれを変更しようとするときは、あらかじめ、その旨を国土交通大臣に届け出なければならない。

答
① ○　運送法第 12 条第 1 項により正しい。

② ×　運送約款を定めるときだけでなく、これを変更しようとするときも国土交通大臣の認可を受けなければならない。届出ではない。

ROAD 5 輸送の安全

重要度

　「輸送の安全」もしくは「過労運転の防止」については、ほぼ毎回出題されている。事業者の義務と運行管理者の業務の混同を誘った問題もよく出るので、両者の違いを意識しておこう。

CHECK □
1　過労運転の防止（運輸規則第21条、運送法第27条等）

　旅客自動車の運転者が過労のまま運転をすることは、大事故につながるおそれがある。そこで、運送法及び運輸規則は、**旅客自動車運送事業者**に対し、運転者の過労運転防止のために、次の措置を講じる義務を課している。

過労運転防止への事業者の義務

①過労の防止を十分考慮して、告示で定める基準に従って、運転者の**勤務時間及び乗務時間**を定め、運転者にこれらを遵守させること
　⇒勤務「**日数**」や乗務「**距離**」という**ヒッカケ問題に注意！**

②乗務員等が**有効に利用することができる**ように、営業所、自動車車庫その他これらの付近の適切な場所に、**休憩・睡眠又は仮眠施設**を整備し、**適切に管理、保守すること**
　⇒施設が乗務員等が実際に睡眠を必要とする場所に設けられていない場合や寝具等の必要な設備が整えられていない場合は、「有効に利用することができる施設」に**該当しない！**

③運転者に1日の勤務時間中に当該運転者の属する営業所で勤務を終了することができない運行を指示する場合、**勤務を終了する場所の付近の適切な場所（事業用自動車内ではない）に睡眠施設を整備・確保し、適切に管理、保守すること**

④**酒気帯び状態にある乗務員等を事業用自動車の運行の業務に従事させないこと**

⑤乗務員等の健康状態の把握に努め、疾病、疲労、睡眠不足その他の理由により**安全に運行の業務を遂行し、又はその補助をすることができない**おそれがある乗務員等を事業用自動車の運行の業務に従事させないこと

⑥事業用自動車の**運転者が疾病により安全な運転ができないおそれがある**

状態で事業用自動車を**運転することを防止**するために**必要な医学的知見に基づく措置**を講じなければならない。

⑦乗務員等が事業用自動車の**運行中**に**疾病、疲労、睡眠不足**その他の理由により**安全に運行の業務を継続**し、又はその**補助を継続**することができ**ないおそれがあるとき**は、当該乗務員等に対する**必要な指示**その他**輸送の安全のための措置を講じること**

⑧**運転者**が**長距離又は夜間の運転に従事**する場合で、**疲労等**により**安全な運転を継続**することができないおそれがあるときは、**あらかじめ、交替の運転者を配置しておくこと**（一般乗合旅客自動車運送事業者及び一般貸切旅客自動車運送事業者）

⑨**事業計画**（路線定期運行を行う一般乗合旅客自動車運送事業者にあっては、事業計画及び運行計画）の遂行に必要となる**員数の運転者の確保**をすること

　⇒この場合、**事業者**（個人タクシー事業者を除く）は、**日日雇い入れられる者、2ヵ月以内の期間**を定めて使用される者、**試みの使用期間中の者**（14日を超えて引き続き使用されるに至った者を除く）、**14日未満の期間ごとに賃金の支払い**（仮払い、前貸しその他の方法による金銭の授受であって実質的に賃金の支払いと認められる行為を含む）**を受ける者**を当該運転者等として**選任してはならない**。

⑩事業用自動車の**運行中、少なくとも1人の運行管理者**が、事業用自動車の運転業務に従事せずに、**異常気象、乗務員の体調変化等の発生時、速やかに運行の中止等の判断、指示等を行える体制を整備**しなければならない。

　⇒**事業者**は、輸送の安全に関する規定に基づく措置を適切に講ずることができるよう、事業用自動車の**運行に関する状況を適切に把握するための体制を整備**しなければならない。

⑪事業用自動車の**運転者、車掌その他旅客**又は公衆に接する従業員の**適切な指導監督**、事業用自動車内における当該**事業者の氏名又は名称の掲示**その他の**旅客に対する適切な情報の提供**その他の**輸送の安全及び旅客の利便の確保のために必要な事項**として国土交通省令で定めるものを**遵守しなければならない**。

CHECK □ **2 乗務距離の最高限度等（運輸規則第 22 条第 1 項、第 23 条）**

交通の状況を考慮して、地方運輸局長が指定する地域内に営業所を有する一般乗用旅客自動車運送事業者は、地方運輸局長が定める**乗務距離の最高限度**を超えて、当該営業所に属する運転者を事業用自動車に乗務させてはならない。

また、同事業者は、指定地域内にある営業所に属する運転者に、その**収受する運賃及び料金の総額が一定の基準**に達し、又は**これを超えるように乗務を強制してはならない。**

CHECK □ **3 公衆の利便を阻害する行為の禁止等（運送法第 30 条等）**

一般旅客自動車運送事業者は、旅客に対し、**不当な運送条件**によることを求め、その他**公衆の利便を阻害する行為**をしてはならない。

また、一般旅客自動車運送事業の**健全な発達**を阻害する結果を生ずるような競争や、特定の旅客に対する不当な**差別的取扱い**も禁じられる。

これらの行為があるときは、国土交通大臣は事業者に対し、当該行為の**停止又は変更**を命ずることができる。

CHECK □　4　安全マネジメント（運輸規則第 2 条の 2、旅客自動車運送事業に係る安全マネジメントに関する指針）

運輸規則第 2 条の 2 及びこれを受けて定められた旅客自動車運送事業に係る安全マネジメントに関する指針は、旅客自動車運送事業者に対し、次の措置を講ずる義務を課し、絶えず**輸送の安全性**の向上に努めなければならないとしている。

> **輸送の安全性向上に向けた事業者の義務（努力義務）**
>
> ①経営責任者の**責務**の明確化
> ②輸送の安全に関し責任ある**体制の構築**
> ③輸送の安全に関する基本的方針を策定し、それを**全従業員に周知**させる（指導監督も行う）
> ④事故件数その他の具体的な指標を用いた輸送の安全に関する**目標設定**
> ⑤輸送の安全に関する**計画の作成**　―など

CHECK □　5　輸送の安全にかかわる情報の公表（運輸規則第 47 条の 7）

旅客自動車運送**事業者**は、国土交通大臣から輸送の安全に係る処分を受けたときは、遅滞なく、当該処分の内容並びに当該処分に基づき講じた措置及び講じようとする措置の内容をインターネットの利用その他の適切な方法により**公表**しなければならない。

また、事業者は、毎事業年度の経過後 100 日以内に、次の情報について、インターネットの利用その他の適切な方法により公表しなければならない。

> **事業者が公表しなければならない情報**
>
> ①輸送の安全に関する**基本的な方針**
> ②輸送の安全に関する**目標及びその達成状況**
> ③事故報告規則に規定する**事故の統計**

1 旅客自動車運送事業運輸規則に定める旅客自動車運送事業者の過労防止についての次の文中、A、B、C、D に入るべき字句としていずれか正しいものを1つ選びなさい。

1. 旅客自動車運送事業者は、事業計画（路線定期運行を行う一般乗合旅客自動車運送事業者にあっては、事業計画及び運行計画）の遂行に十分な数の事業用自動車の運転者を常時選任しておかなければならない。この場合、事業者（個人タクシー事業者を除く。）は、日日雇い入れられる者、 A 以内の期間を定めて使用される者及び試みの使用期間中の者（14日を超えて引き続き使用されるに至った者を除く。）を当該運転者等として選任してはならない。

2. 旅客自動車運送事業者は、運転者に国土交通大臣が告示で定める基準による1日の勤務時間中に当該運転者の属する営業所で勤務を終了することができない運行を指示する場合は、当該運転者が有効に利用することができるように、勤務を終了する場所の付近の適切な場所に睡眠に必要な施設を整備し、又は確保し、並びにこれらの施設を B しなければならない。

3. 旅客自動車運送事業者は、乗務員等の C に努め、疾病、疲労、睡眠不足その他の理由により安全に運行の業務を遂行することができないおそれがある乗務員等を事業用自動車の運行の業務に従事させてはならない。

4. 一般貸切旅客自動車運送事業者は、運転者が長距離運転又は夜間の運転に従事する場合であって、 D により安全な運転を継続することができないおそれがあるときは、あらかじめ、交替するための運転者を配置しておかなければならない。

A ① 1ヵ月　　　　　② 2ヵ月
B ① 維持するための要員を確保　② 適切に管理し、及び保守
C ① 運転履歴の把握　② 健康状態の把握
D ① 疲労等　　　　　② 酒気帯び

2 事業者は、過労の防止を十分考慮して、国土交通大臣が告示で定める基準に従って、事業用自動車の運転者の勤務日数及び乗務距離を定め、当該運転者にこれらを遵守させなければならない。

3 次の記述のうち、一般旅客自動車運送事業者が道路運送法の規定により公表すべきとされている輸送の安全に係る事項として誤っているものを1つ選びなさい。

1. 輸送の安全に関する基本的な方針
2. 輸送の安全に関する目標及びその達成状況
3. 選任されている運行管理者の数
4. 自動車事故報告規則第2条に規定する事故に関する統計

⟨過去問にチャレンジ！ 解答⟩

① A：② B：② C：② D：①

1. ② 旅客自動車運送事業者は、事業計画（路線定期運行を行う一般乗合旅客自動車運送事業者にあっては、事業計画及び運行計画）の遂行に十分な数の事業用自動車の運転者を常時選任しておかなければならず、この場合、事業者（個人タクシー事業者を除く）は、**日日雇い入れられる者、2ヵ月以内の期間を定めて使用される者、試みの使用期間中の者**（14日を超えて引き続き使用されるに至った者を除く）、**14日未満の期間ごとに賃金の支払い**（仮払い、前貸しその他の方法による金銭の授受であって実質的に賃金の支払いと認められる行為を含む）**を受ける者**を当該運転者等として選任してはならない。

2. ② 旅客自動車運送事業者は、運転者に国土交通大臣が告示で定める基準による1日の勤務時間中に当該運転者の属する営業所で勤務を終了することができない運行を指示する場合は、当該運転者が有効に利用することができるように、勤務を終了する場所の付近の適切な場所に**睡眠に必要な施設を整備し、又は確保し、並びにこれらの施設を適切に管理し、及び保守しなければならない**。ちなみに、睡眠施設等に関する義務について、「運行管理者」には適切に**管理**する義務がある。他方、事業者は、**整備（確保）・管理・保守**と意識しておこう。

3. ② 旅客自動車運送事業者は、乗務員等の**健康状態の把握**に努め、疾病、疲労、睡眠不足その他の理由により安全に運行の業務を遂行をし、又はその補助をすることができないおそれがある乗務員等を事業用自動車の運行の業務に従事させてはならない。なお、穴埋め問題ではなく、本問の空欄部分を「生活状況の把握」（＝誤り）などとした通常の択一式問題で出題されることもあるので、注意しておこう。

4. ① 一般貸切旅客自動車運送事業者は、運転者が長距離運転又は夜間の運転に従事する場合であって、**疲労等により安全な運転を継続することができないおそれがあるとき**は、あらかじめ、交替するための運転者を配置しておかなければならない。

② × **事業者は、事業用自動車の運転者の勤務時間及び乗務時間を定め、運転者にこれらを遵守させなければならない。** 勤務「日数」でもなければ、乗務「距離」でもない。

③ 3 国土交通省告示「旅客自動車運送事業運輸規則第47条の7第1項の規定に基づき旅客自動車運送事業者が公表すべき輸送の安全に係る事項」によると、一般旅客自動車運送事業者が道路運送法の規定により公表すべきとされている輸送の安全に係る事項は、**①輸送の安全に関する基本的な方針、②輸送の安全に関する目標及びその達成状況、③自動車事故報告規則第2条に規定する事故に関する統計**である。

ROAD 6　運行管理者

重要度 🚗🚗🚗

合格への道　ここでは、特に「運行管理者の業務」が重要である。事業者の義務との混同を誘う問題がほぼ毎回出題されているので、両者を混同しないように注意しよう。

CHECK
☐ **1　運行管理者の選任（運送法第23条、運輸規則第47条の9）**

　一般旅客自動車運送事業者は、事業用自動車の運行の安全の確保に関する業務を行わせるため、各営業所において、**法令で定められた数以上の運行管理者を選任しなければならない**。また、事業者は運行管理者を選任・解任したときは、遅滞なく、国土交通大臣に届け出なければならない。

　なお、**1つの営業所において複数の運行管理者を選任する事業者**は、それらの業務を統括する統括運行管理者も選任しなければならない。

■ 運行管理者選任数の計算方法（1未満の端数は切り捨て）■

---

①一般**乗合**旅客自動車運送事業
・乗車定員11人以上の事業用自動車の運行を管理する営業所
・乗車定員10人以下の事業用自動車5両以上の運行を管理する営業所
　⇒管理する**事業用自動車の数 ÷ 40 ＋ 1**

②一般**貸切**旅客自動車運送事業
　⇒管理する事業用自動車の数が19両以下の場合は、2人。
　　ただし、管理する事業用自動車の数が4両以下で、地方運輸局長が運行の安全の確保に支障を生ずるおそれがないと認める場合は、1人。
　⇒管理する事業用自動車の数が20両〜99両の場合は、管理する**事業用自動車の数 ÷ 20 ＋ 1**。
　⇒管理する事業用自動車の数が100両以上の場合は、（管理する**事業用自動車の数 − 100）÷ 30 ＋ 6**。

③一般**乗用**旅客自動車運送事業
・事業用自動車5両以上の運行を管理する営業所
　⇒管理する**事業用自動車の数 ÷ 40 ＋ 1**

CHECK ☐ **2　補助者の選任（運輸規則第 47 条の 9 第 3 項）**

事業者は、資格者証もしくは運行管理者資格者証を有する者又は国土交通大臣が認定する基礎講習を修了した者のうちから、運行管理者の業務を補助させるための**補助者を選任する**ことができる。

> 🚌 **ポイント**　〈**運行管理者は補助者を選任しない！**〉
> **補助者の選任**については、事業者の業務であり、これはよくヒッカケ問題として出題されるので、ここで紹介した。なおこの補助者の選任については「〇**年以上の実務経験を有し…**」とする誤った選択肢がたまに出題される。

CHECK ☐ **3　運行管理者の業務（運送法第 23 条の 5、運輸規則第 48 条）**

運行管理者は、誠実にその業務を行わなければならない。そして、運行管理者の主な業務は次のとおりである。一般旅客自動車運送**事業者は運行管理者に対し、これらの業務を行わせるために必要な権限を与えなければならない**。

このほか、**運行管理者は事業者に対し、事業用自動車の運行の安全の確保に関し必要な事項について助言を行うことができる。事業者はこの助言を尊重しなければならない**。また、事業用自動車の**運転者その他の従業員は、運行管理者がその業務として行う指導に従わなければならない**。

> **運行管理者の主な業務**
>
> ①天災その他の理由により輸送の安全確保に支障が生ずるおそれがあるとき、**乗務員等に対する必要な指示**その他輸送の安全のための措置を講じること
> ⇒これは事業者の義務でもある。また、事業用自動車の運行の中断、待避所の確保、徐行運転等の運転にかかわることも含む。なお、**乗務員等の判断に任せる指導は、適切ではない。**
> ②過労の防止を十分考慮して、事業者が定めた勤務時間及び乗務時間の範囲内において乗務割を作成すること
> ③乗務員等の休憩・睡眠又は仮眠施設の適切な管理をすること
> ④酒気帯び状態にある乗務員等を事業用自動車の運行の業務に従事させないこと
> ⑤**乗務員等の健康状態の把握**に努め、疾病、疲労、睡眠不足その他の理由により**安全に運行の業務を遂行し、又はその補助をすることができないおそれがある**乗務員等を事業用自動車の運行の業務に従事させないこと

⇒これは事業者の義務でもある。

⇒安全に運行の業務を遂行できないおそれがある場合、乗務員等にその旨を申し出るよう指導する。

⑥運転者が**長距離又は夜間の運転**に従事する場合、**あらかじめ、交替の運転者を配置すること**

⑦**運転者等に対する**点呼、報告要求、確認、指示、これらを記録し、1年間保存、並びに運転者に対して使用する**アルコール検知器を常時有効に保持すること**

⇒点呼についての詳しい内容は 44 ページ以降参照。

⇒**アルコール検知器を「備え置く」のは、事業者の義務である！**

⑧**運転者等に業務の記録をさせ、それを保存すること**

⑨運行記録計の管理、及び記録の保存。運行記録計により記録することのできない事業用自動車を運行の用に供さないこと

⑩事故の記録及び保存をすること

⑪（一般乗合旅客自動車運送事業）運行基準図を作成して営業所に備え、これにより運転者等に対して適切な指導をすること

⑫（路線定期運行を行う一般乗合旅客自動車運送事業）主な停留所の名称等、必要な事項を記載した運行表を作成し、運転者等に携行させること

⑬（一般貸切旅客自動車運送事業）運行指示書を作成し、これにより**運転者等に適切な指示**を行い、**運転者等に携行させ、運行の終了から 1 年間**※**保存すること**

⑭事業者が運転者として**選任した者（特定自動運行旅客運送を行う場合にあっては、特定自動運行保安員）以外の者を事業用自動車の運行の業務に従事させないこと**

⑮乗務員等台帳を作成し、営業所に備え置くこと

⑯（一般乗用旅客自動車運送事業）タクシー業務適正化特別措置法第 13 条の規定により**運転者証を表示しなければならない事業用自動車に運転者を乗務**させる場合には、**当該自動車に運転者証を表示し**、その者が**乗務を終了した場合には、当該運転者証を保管しておくこと**

⑰（一般乗用旅客自動車運送事業）事業用自動車の運転者が乗務する場合、タクシー業務適正化特別措置法の規定により運転者証を表示するときを除き、**乗務員証を携行させること、及びその者が乗務を終了した場合には、当該乗務員証を返還させること**

⑱**乗務員等に対する運輸規則第 38 条の指導、監督及び特別な指導、並びに運転者に適性診断を受診させること**

⇒指導監督等の詳しい内容は 60 ページ以降参照。

⑲補助者に対する指導監督をすること

⇒**補助者の「選任」は事業者の義務である！**

㉟自動車事故報告規則に定められた事故防止対策に基づき、事業用自動車の運行の安全の確保について、従業員に対する指導監督を行うこと

㉑事故により事業用自動車の運行を中断したときは、**運転者に対し、**当該旅客自動車運送事業者とともに、乗車している旅客のために、**運送の継続又は出発地まで送還すること、及び旅客を保護する等適切な処置**をしなければならないことを指導すること

㉒（一般貸切旅客自動車運送事業）運輸規則第 28 条（経路の調査等）の調査をし、かつ、同条の規定に適合する自動車を使用すること

㉓運転者に対し、道路運送車両法第 47 条の 2 第 1 項及び第 2 項の規定による点検（日常点検）を実施し、又はその確認についての指導監督を行うこと

㉔事業用自動車に**事故が発生**した場合、所定の事項を記録し、その記録を 3 年間保存すること（39 ページ参照）

㉕事業用自動車が非常信号用具、非常口又は消火器を備えたものであるときは、当該自動車の**乗務員等に対し、これらの器具の取扱いについて適切な指導**をすること

※⑬**法改正**により、令和 6 年 4 月 1 日より「3 年間」となったため、令和 6 年度第 2 回試験からは注意すること。

 ちょこっとアドバイス !!

この一覧表は、覚える事項が多いので、はじめは嫌になるかもしれない。しかし、運行管理者の業務については、毎回出題される事項であり、「実務上の知識及び能力」の分野でも出題されるので、外せない知識である。逆にいえば、**覚えてさえいれば正解できる問題**なので、諦めないでほしい。なお、はじめから全部を覚えようとするのではなく、「過去問題を解く→テキストに戻って復習」を繰り返すスタンスのほうが出題のイメージもつかめるし、効率的であろう。

ポイント　〈運行管理者は適切な管理と乗務割〉
　　運行管理者の業務は、ほぼ毎回出題されている。特に、**29 ページ**の表の②③については、事業者の義務との混同を誘う形でよく出題されるので（ROAD5　輸送の安全「1　過労運転の防止」22 ページ参照）注意すること。また、⑭に関連して、**運転者の選任自体は事業者の義務**なので（ROAD3　事業計画とその変更「3　運転者等の選任」19 ページ参照）、これも混同しないように注意しよう。

4　運行管理規程（運輸規則第 48 条の 2）

　旅客自動車運送事業者は、運行管理者の職務及び権限、統括運行管理者を選任しなければならない営業所にあっては、その職務及び権限並びに事業用自動車の運行の安全確保に関する業務の実行に係る基準について、**運行管理規程**を定めなければならない。

　運行管理規程に定める運行管理者の権限は、少なくとも運輸規則第 48 条に掲げる業務（29 ページの「3　運行管理者の業務」参照）を行うに足りるものでなければならない。

> 🚌 **ポイント**　〈運行管理規程は事業者の義務〉
> 　運行管理規程の策定は事業者の義務であり、運行管理者の業務ではないので注意すること。間違えやすい話なので、ここで紹介している。

5　運行管理者の指導監督（運輸規則第 48 条の 3）

　旅客自動車運送事業者は、運行管理業務の適確な実行及び運行管理規程の遵守について、**運行管理者に対する適切な指導監督**を行わなければならない。

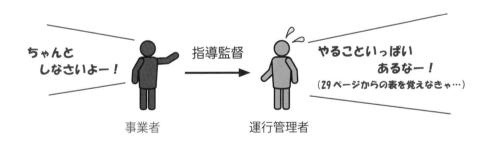

ちゃんと
しなさいよー！

指導監督

やることいっぱい
あるなー！
（29 ページからの表を覚えなきゃ…）

事業者　　　　　　運行管理者

6　運行管理者資格者証の交付（運送法第 23 条、第 23 条の 2、運輸規則第 48 条の 5、第 48 条の 6）

　旅客自動車運送事業者は、運行管理者資格者証の交付を受けている者のうちから、**運行管理者を選任**する。

　この資格者証は、国土交通大臣が**運行管理者試験合格者**のほか、事業用自動車の運行管理に関し**5 年以上の実務の経験**を有し、かつ、その間に国土交通大臣が認定する運行の管理に関する**講習を 5 回以上受講**した者に、国土交

通大臣から交付される（**貸切バスの場合、試験合格者のみが交付要件を満た
す**）。

　もっとも、国土交通大臣は、**次のいずれかに該当する者**に対しては、**資格
者証の交付を行わないことができる**。

資格者証の交付を行わないことができる者

①資格者証の返納を命ぜられ、その日から**5年を経過しない者**

②運送法もしくは同法に基づく命令等に違反し、同法の規定により**罰金以
上の刑**に処せられ、その執行を終わり、又はその執行を受けることがな
くなった日から**5年を経過しない者**

　なお、資格者証の交付の申請は、運行管理者試験に合格した者にあっては、
合格の日から3ヵ月以内に行わなければならない。

CHECK ☐ 7　運行管理者資格者証の訂正等（運輸規則第48条の7）

　資格者証の交付を受けている者は、**氏名に変更を生じたとき**は、原則として、
申請書に当該資格者証及び住民票の写し等を添付して、その住所地を管轄す
る地方運輸局長に提出し、**資格者証の訂正を受けなければならない**。

　また、この**資格者証の訂正に代えて、資格者証の再交付を受けることもで
きる**。要するに、どちらを選択してもよいということだ。

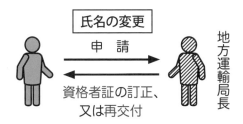

氏名の変更
申　請
資格者証の訂正、
又は再交付
地方運輸局長

8　運行管理者資格者証の返納（運送法第 23 条の 3、運輸規則第 48 条の 9）

　国土交通大臣は、資格者証の交付を受けている者が**運送法**もしくは同法に基づく**命令**又はこれらに基づく**処分**に**違反したとき**は、その者に**資格者証の返納を命ずる**ことができる。

　また、資格者証を失ったために資格者証の再交付を受けた者は、**失った資格者証を発見したとき**は、遅滞なく、発見した資格者証をその住所地を管轄する地方運輸局長に**返納**しなければならない。

**再交付を受けたけど
こんなトコにあった！**

資格者証

遅滞なく
返納する！

運行管理者

──── 過去問にチャレンジ！ ────

① 　一般貸切旅客自動車運送事業者は、事業用自動車 60 両の運行を管理する営業所においては、3 人以上の運行管理者を選任しなければならない。

答 　✕ 　一般貸切旅客自動車運送事業において、管理する事業用自動車の数が 20 両〜 99 両の場合の運行管理者数は「**事業用自動車の数÷ 20 ＋ 1**」である。よって、60 ÷ 20 ＋ 1 ＝ 4 で、4 人以上の運行管理者を選任しなければならない。

② 　事業者は、運行管理者に対し、国土交通省令で定める業務を行うため必要な権限を与えなければならない。また、事業者及び事業用自動車の運転者その他の従業員は、運行管理者がその業務として行う助言又は指導があった場合は、これを尊重しなければならない。

答 　✕ 　運行管理者の「助言」について、「事業者」はこれを尊重しなければならないが、運行管理者の「指導」について、事業用自動車の「運転者その他の従業員」は、これに従わなければならない。

③　一の営業所において複数の運行管理者を選任する事業者は、それらの業務を統括する運行管理者（以下「統括運行管理者」という。）を選任することができる。

答　✕　一の営業所において複数の運行管理者を選任する事業者は、それらの業務を統括する統括運行管理者を選任し**なければならない**。「**することができる**」わけではない。

④　一般貸切旅客自動車運送事業の運行管理者にあっては、夜間において長距離の運行を行う事業用自動車の運行の業務に従事する運転者等に対して、当該業務の途中において少なくとも1回電話その他の方法により点呼を行わなければならない。

答　◯　運輸規則第48条第1項第6号及び第24条第3項により正しい。

⑤　運行管理者は、法令の規定により、運転者等に対して点呼を行い、報告を求め、確認を行い、指示を与え、記録し、及びその記録を保存し、並びに運転者に対して使用するアルコール検知器を備え置かねばならない。

答　✕　前半は正しいが、アルコール検知器を備え置くことは**事業者の義務**である。アルコール検知器に対する運行管理者の義務は、**常時有効に保持**することである。

⑥　運行管理者は、過労の防止を十分考慮して、国土交通大臣が告示で定める基準に従って、事業用自動車の運転者の勤務時間及び乗務時間を定め、当該運転者にこれらを遵守させねばならない。

答　✕　運転者の勤務時間及び乗務時間を定めることは、**事業者の義務**である。運行管理者は、これらの範囲内で**乗務割**を作成する義務がある。

⑦　運行管理者は、運行管理規程を定め、かつ、その遵守について運行管理業務を補助させるため選任した補助者及び運転者に対し指導及び監督を行わねばならない。

答　✕　運行管理規程を定めることは、**事業者の義務**である。

⑧　事業用自動車に係る事故が発生した場合、運行管理者は、事故の発生日時等所定の事項を記録し、その記録を当該事業用自動車の運行を管理する営業所において1年間保存しなければならない。

答　✕　事故の記録は**3年間**保存しなければならない。

ROAD 7 事故の報告及び記録

重要度

合格への道 「事故の報告」について、報告対象となる事故を問う問題がほぼ毎回出題されている。下記のとおり、報告対象になる事故は多いので大変だが、覚えておいて損はない。穴がないように押さえておこう。

CHECK □ 1　事故の報告（運送法第29条、事故報告規則第2条、第3条）

　一般旅客自動車運送事業者は、その事業用自動車が次の重大な事故を引き起こしたときは、遅滞なく、事故の種類、原因その他国土交通省令で定める事項を国土交通大臣に届け出なければならない。そして、事故があった日（下記⑪は、事業者等が当該救護義務違反があったことを知った日）から30日以内に、当該事故ごとに報告書3通を当該自動車の使用の本拠の位置を管轄する運輸支局長等を経由して、国土交通大臣に提出しなければならない。

報告を要する事故

①自動車の転覆、転落、火災（積載物品の火災を含む）事故
　⇒「転覆」は、自動車が道路上で路面35度以上の傾斜をしたものとされる。運転席が下になる横転があれば、90度の傾斜なので、転覆に当たる。
　⇒「転落」は、落差が0.5メートル以上のものとされる。

②鉄道車両（軌道車両を含む）との衝突・接触事故

③10台以上の自動車の衝突・接触事故

④死者又は重傷者（病院に入院することを要する傷害で、医師の治療を要する期間が30日以上のもの、大腿又は下腿の骨折など）を生じた事故
　⇒事業者は、事故により旅客に死者又は重傷者のあるときは、速やかに、その旨を家族に通知する（運輸規則第19条第2号）。

⑤10人以上の負傷者を生じた事故

⑥自動車に積載された危険物等の飛散又は漏えい事故

⑦自動車に積載されたコンテナの落下事故

⑧操縦装置又は乗降口の扉を開閉する操作装置の不適切な操作により、旅客に11日以上医師の治療を要する傷害を生じた事故

⑨酒気帯び運転、無免許運転、大型自動車等無資格運転、麻薬等運転を伴う事故

⑩運転者又は特定自動運行保安員の疾病により、事業用自動車の**運行を継続できなくなった**事故

⑪道交法の救護義務違反があった事故

⑫動力伝達装置などの故障により、**自動車が運行できなくなった**事故

⑬車輪の脱落、被牽引自動車の分離を生じた事故

⑭橋脚、架線その他の**鉄道施設を損傷し、3 時間以上本線において鉄道車両の運転を休止**させた事故

⑮高速自動車国道又は自動車専用道路において、**3 時間以上自動車の通行を禁止**させた事故　―など

 30 歳（30 日間の医師の治療）で、入院したら報告ね。

 〈通院 30 日以上では該当しない〉
このなかで特に注意が必要なのは、④の「重傷者」である。「重傷者」に当たるか否かは「入院」が生じているかがポイントだ。

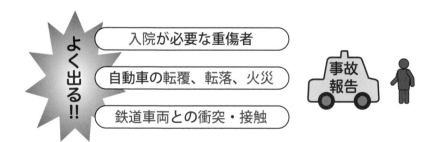

よく出る!!
- 入院が必要な重傷者
- 自動車の転覆、転落、火災
- 鉄道車両との衝突・接触

事故報告

　なお、⑫**及び**⑬**に関連して、自動車の装置の故障**により、自動車が運行できなくなった場合には、報告書に当該自動車の**自動車検査証の有効期間**、当該自動車の**使用開始後の総走行距離**等所定の事項を記載した**書面及び故障の状況を示す略図又は写真**を添付しなければならない。

2 事故の速報（事故報告規則第4条）

　事業者は、使用する自動車について、次のいずれかに該当する事故があったとき等は、**電話その他適当な方法により、24時間以内においてできる限り速やかに**、事故の概要を運輸支局長等に**速報**しなければならない。なお、**速報**したとしても、36〜37ページの報告は省略できない。

速報を要する事故

① 1人以上の死者又は5人以上の重傷者（病院に入院することを要する傷害で、医師の治療を要する期間が30日以上のもの、大腿又は下腿の骨折など）を生じた事故

② 旅客に1人以上の重傷者（病院に入院することを要する傷害で、医師の治療を要する期間が30日以上のものなど）を生じた事故

③ 10人以上の負傷者を生じた事故

④ 事業者が使用する自動車が引き起こしたもので、自動車が転覆・転落・火災（積載物品の火災を含む）を起こし、又は鉄道車両（軌道車両を含む）と衝突・接触した事故

⑤ 自動車が転覆・転落・火災を起こし、又は鉄道車両、自動車その他の物件と衝突・接触したことにより生じた危険物等の飛散又は漏えい事故

⑥ 酒気帯び運転を伴う事故等

ちょこっとアドバイス!!

上記④に関連して、例えば、前ページで紹介した事故の「報告」を要する⑭の鉄道施設を損傷したケースにおいて、「速報」は要しない。

CHECK ☐ **3　事故の記録（運輸規則第 26 条の 2）**

　旅客自動車運送事業者は、事業用自動車に係る**事故**が**発生**した場合には、書面又は電磁的方法によって、**次の事項**を記録し、その記録を当該事業用自動車の運行を管理する**営業所において 3 年間保存**しなければならない。なお、**これは運行管理者の業務**でもある（31 ページ㉔参照）。

事故の記録の記載事項

①**乗務員等の氏名**

②事業用自動車の**自動車登録番号**その他の当該事業用自動車を識別（しきべつ）できる表示

③事故の**発生日時**

④事故の**発生場所**

⑤事故の**当事者（乗務員等を除く）**の氏名

⑥事故の概要（損害の程度を含む）

⑦事故の**原因**

⑧**再発防止対策**

 ちょこっとアドバイス!!

上記の事故の記録の記載事項については、「記録」というくくりの横断的な問題の選択肢の 1 つとして、出題されることが多い。また、以下のような出題がされたこともあるので、ここで確認しておこう。

〔問題〕
事業用自動車に係る**事故**が**発生した場合**に旅客自動車運送事業者が記録しなければならないとされている事故の記録については、死傷者を生じた事故の再発防止に活用するため、**加害事故又は被害事故にかかわらず記録しなければならない**が、**物損事故については記録する必要はない。**

上記の一覧を見ればわかるように、事故について「**加害事故**」「**被害事故**」「**物損事故**」という区別はしていない。よって、この問題は誤りとなる。

① 次の自動車事故に関する記述のうち、一般旅客自動車運送事業者が自動車事故報告規則に基づき国土交通大臣への報告を要するものを2つ選びなさい。なお、解答にあたっては、各選択肢に記載されている事項以外は考慮しないものとする。

1. 乗合バス運転者が乗客を降車させる際、当該バスの乗降口の扉を開閉する操作装置の不適切な操作をしたため、乗客1名が14日間の医師の治療を要する傷害を生じさせた。
2. タクシーが交差点に停車していた貨物自動車に気づくのが遅れ、当該タクシーがこの貨物自動車に追突し、さらに後続の自家用自動車3台が関係する玉突き事故となり、この事故によりタクシーの乗客1人、自家用自動車の同乗者5人が軽傷を負った。
3. バス運転者が乗客を乗せ、走行していたところ、運転者は意識がもうろうとしてきたので直近の駐車場に駐車させて乗客を降ろした。しかし、その後も容体が回復しなかったため、運行を中断した。なお、その後、当該運転者は脳梗塞と診断された。
4. 大型バスが踏切を通過しようとしたところ、踏切内の施設に衝突して、線路内に車体が残った状態で停止した。ただちに乗務員が踏切非常ボタンを押して鉄道車両との衝突は回避したが、鉄道施設に損傷を与えたため、2時間にわたり本線において鉄道車両の運転を休止させた。

② 事業用自動車が鉄道車両（軌道車両を含む。）と接触する事故を起こした場合には、当該事故のあった日から15日以内に、自動車事故報告規則に定める自動車事故報告書（以下「事故報告書」という。）を当該事業用自動車の使用の本拠の位置を管轄する運輸支局長等を経由して、国土交通大臣に提出しなければならない。

③ 貸切バスが乗客20名を乗せて一般道を目的地に向い走行していたが、カーブでタイヤがスリップし、曲がりきれずに道路から0.6メートル下の空き地に転落した。この事故で、運転者と乗客3名が軽傷を負った場合、一般旅客自動車運送事業者は、自動車事故報告規則に基づく国土交通大臣への報告を要する。

④ 事業用自動車が左折したところ、左後方から走行してきた自転車を巻き込む事故を起こした。この事故で、当該自転車に乗車していた者に通院による40日間の医師の治療を要する傷害を生じさせた場合、一般旅客自動車運送事業者は、自動車事故報告規則に基づく国土交通大臣への報告を要する。

〈過去問にチャレンジ！〉解答

① 1と3
1. **報告を要する** 操縦装置又は**乗降口の扉**を開閉する操作装置の不適切な操作により、**旅客**に 14 日間という **11 日以上**医師の治療を要する傷害を生じた事故なので、報告を**要する**。
2. **報告を要しない** 本肢の事故において、衝突した自動車は 5 台であり、負傷者は 6 人である。**10 台以上**の自動車の衝突又は接触を生じた事故又は **10 人以上**の負傷者を生じた事故ではなく、報告を**要しない**。
3. **報告を要する** 本肢では、**運転者等の疾病**により、事業用自動車の運行を継続できなくなっているため、報告を**要する**。
4. **報告を要しない** 橋脚、架線その他の**鉄道施設**を損傷し、**3 時間以上**本線において鉄道車両の運転を休止させた事故については、国土交通大臣への報告を要するが、本肢の場合、本線において鉄道車両の運転を休止させたのは 2 時間であるため、報告を**要しない**。

② × 原則として、事故報告書の提出は、当該事故があった日から **30 日以内**である。15 日以内ではない。

③ ○ 自動車が転覆し、転落し、火災を起こし、又は鉄道車両と衝突し、若しくは接触した事故については、国土交通大臣への報告を**要する**。ここでいう「転落」とは、自動車が道路外に転落した場合で、その**落差が 0.5 メートル以上**のときのことである。

④ × 死者又は重傷者を出した事故は報告を要するが、ここでいう**「重傷者」とは、病院への入院を要する傷害**で、医師の治療を要する期間が **30 日以上**のものを意味する。本問の「通院による 40 日間の医師の治療を要する傷害」はこれにあたらず、報告を要しない。

⑤ 自動車事故に関する次の記述のうち、旅客自動車運送事業者が自動車事故報告規則に基づき運輸支局長等に速報を要するものを2つ選びなさい。なお、解答にあたっては、各選択肢に記載されている事項以外は考慮しないものとする。

1. 貸切バスの運転者がハンドル操作を誤り、当該貸切バスが車道と歩道の区別がない道路を逸脱し、当該道路との落差が0.3メートル下の畑に転落した。
2. 乗合バスが、交差点で信号待ちで停車していた乗用車の発見が遅れ、ブレーキをかける間もなく追突した。この事故で、当該乗合バスの乗客6人が14日間医師の治療を要する傷害を受けた。
3. 高速乗合バスが高速道路を走行中、前方に渋滞により乗用車が停車していることに気づくのが遅れ、追突事故を引き起こした。この事故で、当該高速乗合バスの乗客2人が重傷（自動車事故報告規則で定める傷害のものをいう。以下同じ。）を負い、乗用車に乗車していた2人が軽傷を負った。
4. 乗合バスに乗車してきた旅客が着席する前に当該乗合バスが発車したことから、当該旅客のうち1人がバランスを崩して床に倒れ大腿骨を骨折する重傷を負った。

⑥ 自動車事故に関する次の記述のうち、旅客自動車運送事業者が自動車事故報告規則に基づき運輸支局長等に速報を要するものを2つ選びなさい。なお、解答にあたっては、各選択肢に記載されている事項以外は考慮しないものとする。

1. タクシーが交差点に停車していた貨物自動車に気づくのが遅れ、当該タクシーがこの貨物自動車に追突し、さらに後続の自家用自動車3台が関係する玉突き事故となり、この事故により自家用自動車の運転者、同乗者のうち3人が重傷、5人が軽傷を負った。
2. 貸切バスが信号機のない交差点において乗用車と接触する事故を起こした。双方の運転者は負傷しなかったが、当該バスの運転者が事故を警察官に報告した際、その運転者が道路交通法に規定する酒気帯び運転をしていたことが発覚した。
3. 高速乗合バスが高速自動車国道を走行中、前方に事故で停車していた乗用車の発見が遅れ、当該乗用車に追突した。さらに当該バスの後続車3台が次々と衝突する多重事故となった。この事故で、当該バスの運転者と乗客6人が軽傷を負い、当該高速自動車国道が2時間にわたり自動車の通行が禁止となった。
4. 乗合バスに乗車してきた旅客が着席する前に当該バスが発車したことから、当該旅客のうち1人がバランスを崩して床に倒れ大腿骨を骨折する重傷を負った。

〈過去問にチャレンジ！〉解答

▶ ⑤　3と4

1. **速報を要しない**　自動車の転落事故は、運輸支局長等への速報を要する。ここでいう「転落」とは、自動車が道路外に転落し、その落差が 0.5 メートル以上の場合であり、本肢では、道路と畑の落差が 0.3 メートルなので、速報を要する「転落」にあたらない。

2. **速報を要しない**　5 人以上の重傷者を生じた事故又は旅客に 1 人以上の重傷者を生じた事故は、運輸支局長等に速報を要する。本肢の「14 日間医師の治療を要する傷害」は、重傷にあたらないので、速報を要しない。

3. **速報を要する**　旅客に 1 人以上の重傷者を生じた事故については、運輸支局長等への速報を要する。本肢では、乗客 2 人が重傷を負っているため、速報を要する。

4. **速報を要する**　旅客に 1 人以上の重傷者を生じた事故については、運輸支局長等への速報を要する。本肢では、旅客のうち 1 人が重傷を負っているため、速報を要する。

▶ ⑥　2と4

1. **速報を要しない**　自動車事故により 10 人以上の「負傷者」が生じた場合には、運輸支局長等への速報を要する。また、5 人以上の「重傷者」を生じる事故が発生した場合にも、運輸支局長等への速報を要する。本肢では、負傷者が重傷者も含めて合計 8 人、重傷者が 3 人なので、速報を要しない。

2. **速報を要する**　事業用自動車の運転者に酒気帯び運転があった場合は、運輸支局長等に速報することを要する。

3. **速報を要しない**　10 人以上の「負傷者」を生じた事故や、死者又は 5 人以上の「重傷者」を生じた事故、「旅客」に「重傷者」を生じた事故、自動車が**転覆・転落・火災**を起こした事故などは、運輸支局長等への「速報」が必要となるが、本肢はこれらのどれにも該当しないので、「速報」を要しない。
ちなみに、本肢の事故は、衝突した自動車数が合計 5 台であり、負傷者数が 7 人である。また、高速自動車国道において自動車の通行を休止させた時間は 2 時間にとどまるため、国土交通大臣への「報告」対象にもならない。

4. **速報を要する**　旅客に 1 人以上の重傷者を生じた事故については、運輸支局長等への速報を要する。本肢では、旅客のうち 1 人が重傷を負っているため、速報を要する。なお、本肢は⑤の選択肢 4 と同じ問題だが、同じ選択肢が繰り返し出題される例として、本試験の問題をそのまま掲載している。

ROAD 8　点呼等

重要度 ★★★

合格への道　点呼は、最重要項目の1つであり、まず間違いなく出題される。「実務上の知識及び能力」の分野でも出題され、あわせて2問以上出題されることも多いので、合格するために必ず押さえるべき項目だ。

CHECK □

1　業務前の点呼（運輸規則第24条第1項、第48条第1項第6号、運輸規則の解釈及び運用第24条）

（1）業務前点呼の原則と点呼事項

　旅客自動車運送事業者は、業務に従事しようとする運転者又は特定自動運行保安員（以下「運転者等」）に対し、対面又は対面による点呼と同等の効果を有するものとして国土交通大臣が定める方法（運行上やむを得ない場合は電話その他の方法）により点呼を行い、次に掲げる事項について報告を求め、及び確認を行い、並びに事業用自動車の運行の安全を確保するために必要な指示を与えなければならない。

　また、この先も含めて、点呼に関する規定は運行管理者にも準用されるため（運輸規則第48条第1項第6号）、事業者のみならず、運行管理者にも同様の義務がある。

業務前の点呼事項

①運転者に対しては、酒気帯びの有無（詳しくは49ページの「4」も参照）
②運転者に対しては、疾病、疲労、睡眠不足その他の理由により安全な運転をすることができないおそれの有無
③車両法第47条の2第1項及び第2項の規定による日常点検整備の実施又はその確認
④特定自動運行保安員に対しては、特定自動運行事業用自動車による運送を行うために必要な自動運行装置（車両法第41条第1項第20号に規定する自動運行装置をいう）の設定の状況に関する確認
➡ なお、業務後の点呼でも確認すべき事項は、①のみ。

　前ページの③について、「日常」という点は重要だ。車両法で規定される点検には、「日常」点検と「定期」点検があり、この2つは異なる。「日常」点検は、1日1回又は必要に応じて行うもの、「定期」点検は、3ヵ月に1回、国土交通省令で定める基準によって行うものである。

　そして、点呼は原則として、営業所において、対面又は対面による点呼と同等の効果を有するものとして国土交通大臣が定める方法で行わねばならない。しかし、「運行上やむを得ない場合」は、電話等での点呼が認められるところ、いかなる場合に「運行上やむを得ない場合」とされるかがポイントだ。

電話等での点呼が認められるか？

A　遠隔地で業務が開始・終了するため、当該運転者等の所属営業所において、対面で点呼が実施できない場合　　　　　　➡ 認められる。

B　（運転者等のいる）**車庫と営業所が離れている**場合　➡ 認められない。

C　**早朝・深夜**等で、点呼執行者が営業所に出勤していない場合
　　　　　　　　　　　　　　　　　　　　　　　　　　➡ 認められない。

D　交替運転者がいる場合で、**出庫時から同乗**する場合の**交替時の交替運転者に対する点呼**　　　　　　　　　　　　➡ 認められない。

　補足しておくと、**上記Bの場合、必要に応じて、他の運行管理者や補助者を車庫へ派遣することで、対面の点呼を実施できる。**

　なお、補助者を選任し、その営業所での**点呼を行わせることはできる。**しかし、**その営業所での点呼の総回数の3分の2未満でなければならない。**逆にいえば、**運行管理者**は、少なくともその営業所での点呼の総回数の**3分の1以上を行わねばならない。**

　また、**上記C**は、**早朝・深夜**等であっても、運行管理者等が出勤することで、対面の点呼を行わなければならない。そして、**上記D**について、長距離の運行による交替運転者がいて、**出庫時から同乗**する場合、**その交替時に当該交替運転者に対して電話等で点呼**をすることは認められず、**出庫時に対面での点呼を行う。**

　なお、電話「その他の方法」とは、携帯電話や業務無線等、**運転者等と直接に対話できるもの**で、**電子メールやFAX等の一方的な方法は該当しない。**

(2) 旅客 IT 点呼について

　輸送の安全及び旅客の利便の確保に関する取組みが優良であると認められる同一事業者内の営業所においては、「営業所と当該営業所の車庫間」「同一営業所の**車庫と車庫間**」において、対面による点呼と同等の効果を有するものとして、国土交通大臣が定めた機器による点呼（**旅客 IT 点呼、以下「IT 点呼」とする**）を行うことができる。

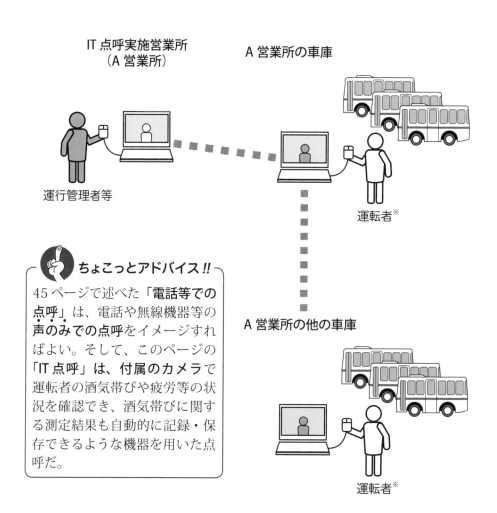

IT 点呼実施営業所
（A 営業所）

A 営業所の車庫

運行管理者等

運転者※

A 営業所の他の車庫

運転者※

ちょこっとアドバイス!!

45 ページで述べた「**電話等での点呼**」は、電話や無線機器等の**声のみでの点呼**をイメージすればよい。そして、このページの**「IT 点呼」は、付属のカメラで**運転者の酒気帯びや疲労等の状況を確認でき、酒気帯びに関する測定結果も自動的に記録・保存できるような機器を用いた点呼だ。

※車庫間の IT 点呼において、どちらかが運行管理者となる。

　また、「輸送の安全及び旅客の利便の確保に関する取組みが優良であると認められる営業所」とは、**次のいずれにも該当**する旅客自動車運送事業者の営業所をいう。

> **IT 点呼が認められる営業所の要件**
>
> ①開設されてから **3 年を経過している**こと。
> ②過去 3 年間、所属する旅客自動車運送事業の用に供する事業用自動車の運転者が自らの責に帰する**事故報告規則第 2 条に規定する事故を発生させていない**こと。
> ③過去 3 年間、自動車その他の輸送施設の使用の**停止処分**、事業の停止処分又は警告を受けていないこと。

　IT 点呼が認められる「**国土交通大臣が定めた機器**」とは、営業所で管理する機器であってそのカメラ、モニター等によって、運行管理者等が運転者の**酒気帯びの有無、疾病、疲労、睡眠不足等の状況を随時確認**でき、かつ、当該機器により行おうとする点呼において、当該運転者の**酒気帯びの状況に関する測定結果を、自動的に記録及び保存**するとともに、当該運行管理者等が当該測定結果を直ちに確認できるものをいう。

（3）遠隔点呼について

　事業者は、上記までの IT 点呼とは別に、遠隔点呼実施要領で定める要件を満たす**機器・システム**を用い、運輸支局長等への申請を行って承認を受けることで、**遠隔拠点間での「遠隔点呼」**を行うことができる。IT 点呼と同じく、IT 機器を用いた点呼をイメージすればよい。

　これは「輸送の安全及び旅客の利便の確保に関する取組みが優良であると認められる営業所」に限らず実施できるもので、「遠隔点呼」は対面による点呼が行われたものと取り扱われる。点呼の記録の保存期間は 1 年間である。

　「遠隔点呼」は、「IT 点呼」とは異なり、**すべての営業所に認められる**反面、**機器やシステムなどの要件が厳しい**ものとイメージしていればよいであろう。また、**IT 点呼は、1 営業日のうち連続する 16 時間以内に制限**されているが、**遠隔点呼は 24 時間実施が可能**である点も異なる。なお、令和 6 年 4 月 1 日より、次ページの業務途中点呼についても遠隔点呼が行えるようになった。

2 　業務後の点呼（運輸規則第24条第2項、第48条第1項第6号）

　旅客自動車運送事業者は、事業用自動車の運行の業務を終了した運転者等に対し、対面又は対面による点呼と同等の効果を有するものとして国土交通大臣が定める方法（運行上やむを得ない場合は電話その他の方法）により点呼を行い、当該業務に係る事業用自動車、道路及び運行の状況並びに他の運転者等と交替した場合には、運輸規則第15条の2第8項第10号又は第50条第1項第8号で規定される交替に関する通告についての報告を求め、及び運転者に対しては酒気帯びの有無について確認を行わなければならない。

　なお、令和5年1月より、輸送の安全確保に関する取組みが優良だと判断された営業所、かつ、比較的実現が容易である業務後の点呼に限り、AIロボットなどの「点呼支援機器」が運行管理者に代わって点呼を実施する業務後自動点呼が導入されている。これも対面での点呼と同等の効果が与えられる。出題可能性は低いがイメージは持っておこう。

業務後の点呼事項

①運転者に対しては、酒気帯びの有無（詳しくは次ページの「4」も参照）
②業務に係る事業用自動車、道路及び運行の状況
③他の運転者等と交替した場合には、交替に関する通告
➡ なお、業務前の点呼でも確認すべき事項は、①のみ。
　つまり、「日常点検の実施又はその確認」等は、含まれていない。

3 　業務途中点呼（運輸規則第24条第3項、第48条第1項第6号）

　一般貸切旅客自動車運送事業者は、夜間において長距離の運行を行う事業用自動車の運行の業務に従事する運転者等に対して当該業務の途中において少なくとも1回電話その他の方法により点呼を行い、次の各号に掲げる事項について報告を求め、及び確認を行い、並びに事業用自動車の運行の安全を確保するために必要な指示を与えなければならない。

---

①当該業務に係る事業用自動車、道路及び運行の状況
②運転者に対しては、疾病、疲労、睡眠不足その他の理由により安全な運転をすることができないおそれの有無

　なお、「**夜間において長距離の運行を行う事業用自動車の運行の業務に従事する運転者等**」とは、運行指示書上、実車運行（旅客の乗車の有無にかかわらず、旅客の乗車が可能として設定した区間の運行をいい、回送運行は実車運行には含まない）する**区間の距離が 100 キロメートルを超える夜間運行**（実車運行を開始する時刻若しくは実車運行を終了する時刻が午前 2 時から午前 4 時までの間にある運行又は当該時刻をまたぐ運行）を行う事業用自動車に乗務する運転者をいい、交替運転者が当該事業用自動車に添乗している場合は、当該交替運転者を含む。

業務途中点呼の点呼事項

①**業務に係る事業用自動車、道路及び運行の状況**
②運転者に対しては、**疾病、疲労、睡眠不足**その他の理由により**安全な運転をすることができないおそれの有無**
➡ やはり、「**日常点検の実施又はその確認**」は含まれない。
　これが含まれるのは、**業務前の点呼のみ**である。

CHECK
□　**4　点呼に使用するアルコール検知器（運輸規則第 24 条第 4 項、第 48 条第 1 項第 6 号、運輸規則の解釈及び運用第 24 条）**

　旅客自動車運送事業者は、**アルコール検知器**（呼気に含まれるアルコールを検知する機器で、国土交通大臣が告示で定めるもの）を**営業所ごとに備え、常時有効に保持**（正常に作動し、故障のない状態）しなければならない。

　なお、アルコール検知器が有効に保持されているかの確認は、**確実に酒気を帯びていない者が使用してアルコールを検知しないこと**、洗口液等のアルコールを含む液体等を口内に噴霧するなどして、**アルコールが検知されるか**といった方法で、定期的に故障の有無を確認する。

　そして、点呼において酒気帯びの有無を確認する場合は、**運転者の状態を目視等で確認**し、運転者の属する営業所に備えられた**アルコール検知器を用いて行わなければならない。**つまり、**アルコール検知器を用いずに行う酒気帯びの有無の確認は、認められない。**

　また、この営業所ごとに備える**アルコール検知器は、営業所、営業所の車庫、又は営業所に属する事業用自動車に設置されているもの**でなければならず、そうであるならば、**携帯型アルコール検知器**でもよい。

ただし、電話その他の方法で点呼をする場合で、**同一事業者の他の営業所**において乗務を終了する場合、**他営業所に備えられたアルコール検知器**（この場合、他営業所に常時設置され、**検査日時及び測定数値を自動的に記録できるものに限る**）を使用させ、**当該測定結果を電話等の方法により、所属する営業所の運行管理者等に報告**させたときは、「当該運転者の属する営業所に備えられたアルコール検知器」を用いたとみなされる。

　なお、**道交法施行令で定められている濃度**（血液中のアルコール濃度1ミリリットルにつき0.3ミリグラム又は呼気中のアルコール濃度1リットルにつき0.15ミリグラム以上）**未満であっても、アルコールが検知**されれば、その運転者を**乗務させてはならない**。

 ちょこっとアドバイス!!

営業所に備えられたアルコール検知器が**故障等で使用できない場合**において、当該アルコール検知器と**同等の性能を有するもの**であっても、当該営業所に備えられたものでない限りは、上記規定に違反することになる。

（**過去問にチャレンジ！** **問題**）

① 　業務前の点呼は、対面又は対面による点呼と同等の効果を有するものとして国土交通大臣が定める方法（運行上やむを得ない場合は電話その他の方法）により行い、①道路運送車両法の規定による定期点検の実施、運転者に対しては、②酒気帯びの有無、③疾病、疲労、睡眠不足その他の理由により安全な運転をすることができないおそれの有無、④特定自動運行保安員に対しては、特定自動運行事業用自動車による運送を行うために必要な自動運行装置の設定の状況、について報告を求め、及び確認を行い、並びに事業用自動車の運行の安全を確保するために必要な指示を与えなければならない。

② 　旅客自動車運送事業運輸規則第24条第4項（点呼等）に規定する「アルコール検知器を営業所ごとに備え」とは、営業所又は営業所の車庫に設置されているアルコール検知器をいい、携帯型アルコール検知器は、これにあたらない。

③ 　業務終了後の点呼においては、「道路運送車両法第47条の2第1項及び第2項の規定による点検（日常点検）の実施又はその確認」について報告を求め、及び確認を行わなければならない。

CHECK
☐ **5　点呼の記録と保存（運輸規則第 24 条第 5 項）**

　旅客自動車運送事業者は、業務前・業務後・業務途中点呼を問わず、点呼を行ったときは、運転者等ごとに点呼を行った旨、報告、確認及び指示の内容並びに次に掲げる事項を記録し、かつ、その記録を 1 年間保存しなければならない。なお、記録と保存は電磁的方法でも書面でもよい。

> **主な点呼の記録の記載事項**
>
> ①**点呼を行った者**及び**点呼を受けた運転者等の氏名**
>
> ②点呼を受けた運転者等が従事した運行の業務に係る事業用自動車の**自動車登録番号**その他の当該事業用自動車を**識別できる表示**
>
> ③点呼の**日時**
>
> ④点呼の**方法**
>
> ⑤その他必要な事項

───────────〈 **過去問にチャレンジ！** 〉**解答**〉───────────

1　×　「業務前」の点呼では、①道路運送車両法第 47 条の 2 第 1 項及び第 2 項の規定による点検（日常点検）の実施又はその確認、運転者に対しては、②酒気帯びの有無、③疾病、疲労、睡眠不足その他の理由により安全な運転をすることができないおそれの有無、④特定自動運行保安員に対しては、特定自動運行事業用自動車による運送を行うために必要な自動運行装置の設定の状況、について報告を求め、及び確認を行い、並びに事業用自動車の運行の安全を確保するために必要な指示を与えなければならない。本問は①について、「定期」点検としているため誤っている。

2　×　「旅客自動車運送事業運輸規則の解釈及び運用について」第 24 条（2）③によると、運輸規則第 24 条第 4 項に規定する「アルコール検知器を営業所ごとに備え」の「アルコール検知器」には、携帯型アルコール検知器を**含む**ものとされている。

3　×　「業務後」の点呼について、日常点検に関する報告や確認は求められていない。「業務前」の点呼のみである。

④ 一般貸切旅客自動車運送事業の事業用自動車の運転者に対し、各点呼の際に報告を求め、及び確認を行わなければならない事項として、A、B、C に入るべき字句を下の枠内の選択肢（1 ～ 6）から選びなさい。

【業務前点呼】
（1）酒気帯びの有無
（2）　| A |
（3）道路運送車両法の規定による点検の実施又はその確認

【業務後点呼】
（1）業務に係る事業用自動車、道路及び運行の状況
（2）酒気帯びの有無
（3）　| B |

【業務途中点呼】
（1）　| C |
（2）疾病、疲労、睡眠不足その他の理由により安全な運転をすることができないおそれの有無

---

1. 道路運送車両法の規定による点検の実施又はその確認
2. 業務に係る事業用自動車、道路及び運行の状況
3. 乗客に体調の異変等があった場合にはその状況及び措置
4. 疾病、疲労、睡眠不足その他の理由により安全な運転をすることができないおそれの有無
5. 酒気帯びの有無
6. 他の運転者等と交替した場合にあっては法令の規定による通告

---

⑤ 業務終了後の点呼における運転者の酒気帯びの有無については、当該運転者からの報告と目視等による確認で酒気を帯びていないと判断できる場合は、アルコール検知器を用いての確認は実施する必要はない。

⑥ 事業者は、乗務員等の身体に保有するアルコールの程度が、道路交通法施行令第 44 条の 3（アルコールの程度）に規定する呼気中のアルコール濃度 1 リットルにつき 0.15 ミリグラム以下であれば事業用自動車の運行の業務に従事させてもよい。

過去問にチャレンジ！　解答

▶ ④　A：4　B：6　C：2

A　4 「業務前」の点呼について、運転者に対し、報告や確認が必要となるのは、以下の事項である。

(1) **酒気帯びの有無**

(2) **疾病、疲労、睡眠不足**その他の理由により**安全な運転**をすることができないおそれの有無

(3) 道路運送車両法の規定による（**日常**）点検の実施又はその確認

B　6 「業務後」の点呼について、運転者に対し、報告や確認が必要となるのは、以下の事項である。

(1) 業務に係る**事業用自動車、道路及び運行の状況**

(2) **酒気帯びの有無**

(3) 他の運転者と**交替**した場合にあっては法令の規定による**通告**

C　2 「業務途中」の点呼について、運転者に対し、報告や確認が必要となるのは、以下の事項である。

(1) 業務に係る**事業用自動車、道路及び運行の状況**

(2) **疾病、疲労、睡眠不足**その他の理由により**安全な運転**をすることができないおそれの有無

👆 ちょこっとアドバイス‼

点呼における報告・確認事項は、「**業務前**」「**業務後**」「**業務途中**」の**3つの場面に分けて**、しっかり覚えておこう。ポイントは以下のとおりだ。

⬇

①**日常**点検の実施等について必要となるのは「**業務前**」のみ！
　⇒「**定期**」点検**ではない**点も注意！

②「**業務後**」では、他の運転者等と**交替**した場合にあっては法令の規定による**通告**が含まれる！

▶ ⑤　×　運輸規則第24条第4項によると、旅客自動車運送事業者は、アルコール検知器を**営業所ごとに**備え、**常時有効に保持**するとともに、法令の規定により酒気帯びの有無について確認を行う場合には、運転者の状態を**目視等**で確認するほか、運転者の属する営業所に備えられたアルコール検知器を用いて**行わなければならない**。

▶ ⑥　×　「酒気帯びの有無」は、道交法施行令第44条の3に規定する血液中のアルコール濃度 0.3mg/mℓ 又は呼気中のアルコール濃度 0.15mg/ℓ 以上であるか否かを**問わない**ものとされている。したがって、事業者は、乗務員等の身体に保有するアルコールの程度が、同法に規定する呼気中のアルコール濃度1リットルにつき0.15ミリグラム以下であったとしても、事業用自動車の運行の業務に従事させてはならない。

ROAD 9　運行基準図及び運行指示書

重要度

> **合格への道**　運行基準図と運行指示書はどちらかというと、「運行指示書」の出題頻度が高い。事業者が何を行うべきか、その保存期間はしっかり押さえておこう。

CHECK☐ 1　運行基準図（運輸規則第 27 条第 1 項）

　一般乗合旅客自動車運送事業者は、踏切、橋、トンネル、交差点、待避所及び運行に際して注意を要する箇所の位置等、所定の事項を記載した**運行基準図**を作成して**営業所に備え**、かつ、これにより事業用自動車の**運転者等**に対し、**適切な指導**をしなければならない。

CHECK☐ 2　運行表（同条第 2 項）

　路線定期運行を行う一般乗合旅客自動車運送事業者は、主な停留所の名称、当該停留所の発車時刻及び到着時刻その他運行に必要な事項を記載した**運行表**を作成し、かつ、これを事業用自動車の運転者等に携行させなければならない。

CHECK☐ 3　経路の調査（運輸規則第 28 条）

　一般貸切旅客自動車運送事業者は、運行の**主な経路**における道路及び交通の状況を事前に調査し、かつ、当該経路の状態に適すると認められる自動車を使用しなければならない。ただし、法令の規定による許可を受けて乗合旅客を運送する場合は、この限りでない。

CHECK☐ 4　運行指示書（運輸規則第 28 条の 2 第 1 項）

　一般貸切旅客自動車運送事業者は、運行ごとに、次の事項を記載した運行指示書を作成し、これに基づき運転者等に適切な指示を行うとともに、運転者等に携行させなければならない。なお、運転者等の携行は省略できない。

――――――（　過去問にチャレンジ！　問題　）――――――

一般貸切旅客自動車運送事業者は、法令の規定による運行指示書を運行の終了の日から 3 年間保存しなければならない。

> **運行指示書の記載事項**
>
> ①運行の開始及び終了の地点及び日時　②乗務員等の氏名
> ③運行経路並びに主な経由地における発車及び到着の日時
> ④旅客が乗車する区間　⑤運行に際して注意を要する箇所の位置
> ⑥乗務員等の休憩地点及び休憩時間（休憩がある場合に限る）
> ⑦乗務員等の運転又は業務の交替地点（交替がある場合に限る）　　—など

　なお、運行管理者の指示により、**運行の途中で経路に変更が生じた場合、運行管理者は、運転者等自身にその内容、理由等を記入させなければならない。**

CHECK □ 5　運行指示書の保存（同条第 2 項）

　一般貸切旅客自動車運送事業者は、**運行指示書を運行の終了の日から 1 年間保存**しなければならない。

 　運行指示書の保存期間は、運行を「**計画した日**」からではない。なお、**令和 6 年度第 2 回試験より保存期間は 3 年間**となる。

CHECK □ 6　地図の備付け（運輸規則第 29 条）

　一般乗用旅客自動車運送事業者は、事業用自動車に少なくとも営業区域内の道路や地名など所定の事項が明示された地図であって地方運輸局長の指定する規格に適合するものを備えておかなければならない。

CHECK □ 7　運送引受書（運輸規則第 7 条の 2 第 1 項、第 2 項）

　一般貸切旅客自動車運送事業者は、**運送を引き受けた場合、遅滞なく、当該運送の申込者に対し、所定の事項を記載した運送引受書を交付しなければならない。**また、当該事業者はこの運送引受書の写しを運送の終了の日から 1 年間保存しなければならない。

――――――〈 過去問にチャレンジ！ 〉解答 ――――――

> 答　×　運行指示書の保存期間は 1 年間である。なお、法改正により、令和 6 年度第 2 回試験より保存期間は 3 年間となる。

ROAD 10　業務記録

合格への道　出題頻度が高いわけではないが、選択肢単位ではなく、1つの問題として出題されることがある。少なくともここで紹介する問題は解けるようにしておこう。

CHECK　業務記録（運輸規則第25条等）

　下表の各事業者は、事業用自動車の**運転者等**が事業用自動車の運行の業務**に従事したとき**は、運転者等ごとに次の事項を**記録させ、かつ、その記録を1年間保存**しなければならない。

■ 業務記録の記載事項 ■

記載事項	乗合・特定	貸切	乗用
①運転者等の氏名	○	○	○
②運転者等が従事した運行の業務に係る事業用自動車の自動車登録番号等、当該自動車を識別できる記号、番号その他の表示	○	○	○
③**業務の開始・終了の地点及び日時**、主な経過地点及び業務に従事した距離	○	○	○
④業務を交替した場合、その地点及び日時	○	○	○
⑤**休憩又は仮眠をした場合、その地点及び日時**	○	○	○
⑥睡眠のための施設で**睡眠**した場合、その施設の**名称及び位置**	○	○	○
⑦道交法や事故報告規則に規定する**事故**、又は著しい運行の遅延その他の異常な状態が発生した場合、その概要及び原因	○	○	○
⑧運転者等が従事した運行の業務に係る事業用自動車（乗車定員11人以上のものに限る）に車掌が乗務した場合、その車掌名	○	○	―
⑨⑧の場合で、車掌がその業務を交替したとき、交替した車掌ごとにその地点及び日時	○	○	―
⑩旅客が乗車した区間	―	○	○
⑪運行の業務に従事した事業用自動車の走行距離計に**表示**されている業務の開始・終了時における**走行距離**の積算キロ数	―	―	○

　なお、**前ページの表⑤**（休憩・仮眠）について、**10分未満の休憩は、その記載を省略できる。**

　また、前テーマで述べた「運行指示書」への記載によって、「業務記録」への記録を省略することができるという規定はないので注意しておこう。これは、一部の記録事項について、法令の規定に適合し、又はこれと同等の性能を有すると認められる「運行記録計」の記録で代えることができるという規定があるところ、その知識とのヒッカケ問題だ（「運行記録計」については、228ページ以降を参照）。

─────────────── 過去問にチャレンジ！ ───────────────

① 　一般乗合旅客自動車運送事業者は、運転者等が事業用自動車の運行の業務に従事したときは、休憩又は睡眠をした場合にあっては、その地点及び日時を、当該業務を行った運転者等ごとに「業務記録」（法令に規定する運行記録計に記録する場合は除く。以下同じ。）に記録させなければならない。ただし、10分未満の休憩については、その記載を省略しても差しつかえない。

答　○　運輸規則第25条第1項第5号及び旅客自動車運送事業運輸規則の解釈及び運用について第25条（2）により正しい。

② 　一般貸切旅客自動車運送事業者は、運転者等が事業用自動車の業務に従事したときは、旅客が乗車した区間の運転者等ごとに「業務記録」に記録をさせなければならない。ただし、当該業務において、法令の規定に基づき作成された運行指示書に「旅客が乗車する区間」が記載されているときは、「業務記録」への当該事項の記録を省略することができる。

答　×　「運行指示書」による記載で、業務記録は省略できない。

③ 　一般乗合旅客自動車運送事業者は、運転者等が事業用自動車の業務に従事したときは、道路交通法に規定する交通事故若しくは自動車事故報告規則に規定する事故又は著しい運行の遅延その他の異常な状態が発生した場合にあっては、その概要及び原因について、当該業務を行った運転者等ごとに「業務記録」に記録をさせなければならない。

答　○　運輸規則第25条第1項第7号により正しい。

ROAD 11 乗務員等台帳、乗務員証

重要度

合格への道 乗務員等台帳並びに乗務員証に関する問題は、たまに出ても問われるところは、ほぼ同じである。「2 乗務員等台帳の保存期間」がよく出題されるので、ここは押さえておこう。

CHECK
☐ **1 乗務員等台帳（運輸規則第37条第1項等）**

旅客自動車運送事業者は、事業用自動車の**運転者等**ごとに、次の事項を記載した**乗務員等台帳**を作成し、これを**当該運転者等の属する営業所**に備えておかなければならない。どの営業所でもよいわけではない点は、少し注意しておこう。

乗務員等台帳の記載事項

①作成番号及び作成年月日

②**事業者の氏名**又は**名称**

③**運転者等の氏名、生年月日及び住所**

④雇入れの**年月日及び運転者等に選任された年月日**

⑤運転者に対しては、**運転免許証の番号及び有効期限**、運転免許の年月日及び種類並びに運転免許に条件が付されている場合は、当該条件

⑥運転者の運転の経歴

⑦事故を引き起こした場合は、その概要

⑧運転者に対しては、道路交通法第108条の34の規定による通知を受けた場合は、その概要

⑨運転者等の健康状態

⑩運転者に対しては、**特別な指導の実施年月日及び指導の具体的内容**、適性診断の受診の状況

ポイント 〈「**初めて乗務した年月日**」は間違い〉
記載事項の④については、「事業用自動車に**初めて乗務した年月日**」とする出題がある。「**運転者等に選任された年月日**」の誤りなので、注意しよう。

CHECK □ 2　乗務員等台帳の保存期間（同条第2項）

　旅客自動車運送事業者は、事業用自動車の**運転者**が転任、退職その他の理由により**運転者**でなくなった**場合**には、**直ちに**、当該運転者に係る乗務員等台帳に運転者でなくなった年月日及び理由を記載し、これを**3年間保存**しなければならない。

> 🚌 **ポイント**　この場合の**乗務員等台帳**の保存期間は、3年間である（事故の記録も同じ）。点呼の記録、下記の**乗務員証**、業務記録の保存期間（1年間）と混同しないように注意しよう。

CHECK □ 3　乗務員証（同条第3項）

　一般乗用旅客自動車運送事業者は、事業用自動車に運転者を乗務させるときは、原則として、運転者の氏名等、一定の事項を記載し、かつ、写真を貼り付けた**乗務員証**を携行させなければならない。

　なお、これは乗務員証の話ではないが、従来、事業用自動車内には乗務員等の氏名の「掲示」義務があったが、2023年8月1日より、プライバシー保護の観点から当該義務は廃止された（運輸規則第42条参照）。

CHECK □ 4　乗務員証の保存期間（同条第4項）

　一般乗用旅客自動車運送事業者は、事業用自動車の運転者が転任、退職その他の理由により運転者でなくなった場合は、直ちに、当該運転者に係る上記の**乗務員証**に運転者でなくなった年月日及び理由を記載し、これを**1年間保存**しなければならない。

───── 過去問にチャレンジ！ ─────

運行管理者は、事業用自動車の運転者が他の営業所に転出し当該営業所の運転者でなくなったときは、直ちに、乗務員等台帳に運転者でなくなった年月日及び理由を記載して1年間保存している。

‥‥‥‥‥‥‥‥‥‥‥‥‥‥‥‥‥‥‥‥‥‥‥‥‥‥‥‥‥‥‥‥‥‥‥‥‥‥

圏　✕　乗務員等台帳の保存期間は、3年間である。

ROAD 12 従業員等に対する指導監督（一般）

重要度

合格への道 従業員等に対する指導監督は、毎回出題される重要事項である。ここでは運輸規則で規定される（通常の）指導監督に関する規定について確認し、次テーマ以降で「特別な指導」及び「適性診断」を確認する。

CHECK □ 1 指導監督に関する学習の指針

　指導監督の話は、運行管理者試験の中でも少しやっかいなテーマであり、苦手意識をもつ受験生も多い。そこで、**指導監督に関する出題（学習）内容は大きく3つに分けることができる**ので、まずは**指導監督に関する出題（学習）内容の全体像**を確認しよう。

◆ 指導監督における出題（学習）内容

> ①指導監督の規定（一般）：→このテーマ（ROAD12）の話
> ②「特別な指導」の規定： →次のROAD13の話
> ③「適性診断」の規定： →次のROAD13の話

　試験対策上は、指導監督に関する問題について、上記のように分類すれば知識の整理に役立つ。①の「指導監督の規定（一般）」とは、次ページから触れる運輸規則で規定されている「指導監督の原則」や、同規則のあちこちで規定されている**事業者・運行管理者に求められる一定事項に関する指導監督の義務規定**だ。あちこちに規定が散らばっているため、知識が整理しにくくなっているのだ。

　そしてその後、**ROAD13**にて、別途規定されている「**特別な指導**」と「**適性診断**」に関する規定の話と続くが、試験では上記①～③に関する規定がセットで出題されることが多いので、学習しながら自分が上記①～③のどの内容を学習しているのかを確認し、混乱しないようにしよう。

ちょこっとアドバイス!!

困った場合の受験テクニックとして、「輸送の安全」に関することであれば、事業者や運行管理者には従業員等に対する**指導監督の義務がある**と考えてよい。「輸送の安全」を実現するためには効果的なことが書かれているのに「誤っている（そのような義務はない）」という選択肢が出題される可能性は低いのだ。

また、国土交通省から出されている「自動車運送事業者が事業用自動車の運転者に対して行う一般的な指導及び監督の実施マニュアル」といったマニュアルまで確認すると、事業者や運行管理者には、「輸送の安全」に関する事項全般に対して、指導監督が促されているのだ。

そうなると逆に、**どのような部分で「誤っている」選択肢**となっているかは、指導監督に関する記録の保存期間であったり、輸送の安全に関する「**基本的な方針の策定**」の義務が事業者にしかないことといった部分である。

CHECK □ 2　運転者に対する指導監督の原則（運輸規則第38条第1項、第48条第1項第16号）

　旅客自動車運送**事業者と運行管理者**は、その事業用自動車の**運転者**に対し、国土交通大臣が告示で定めるところにより、**主として運行する路線又は営業区域の状態及びこれに対処することができる運転技術並びに法令に定める自動車の運転に関する事項**について、**適切な指導監督**をしなければならない。

　この場合においては、その日時、場所及び内容並びに**指導監督を行った者及び受けた者を記録**し、かつ、その記録を営業所において**3年間保存**しなければならない。

CHECK □ 3　乗務員等に対する非常信号用具、非常口又は消火器の取扱いの指導（運輸規則第38条第5項、第48条第1項第16号）

　旅客自動車運送**事業者と運行管理者**は、その事業用自動車が**非常信号用具、非常口又は消火器を備えたもの**であるときは、当該自動車の乗務員等に対し、これらの器具の取扱いについて**適切な指導**をしなければならない。

4 輸送の安全に関する基本的な方針の策定（運輸規則第 38 条第 6 項）

　旅客自動車運送事業者は、従業員等に対し、効果的かつ適切に指導監督を行うため、輸送の安全に関する基本的な方針の策定その他の国土交通大臣が告示で定める措置を講じなければならない。なお、これは事業者のみの義務である点に注意しよう。

5 従業員に対する輸送の安全と旅客の利便確保の指導（運輸規則第 2 条第 3 項）

　旅客自動車運送事業者は、従業員に対し、輸送の安全及び旅客の利便を確保するため誠実に職務を遂行するように指導監督するとともに、当該指導監督を効果的かつ適切に行うため、必要な措置を講じなければならない。

6 運転者に対する運行基準図に基づく指導（運輸規則第 27 条第 1 項、第 48 条第 1 項第 10 号）

　一般乗合旅客自動車運送事業者と運行管理者は、一定事項を記載した運行基準図を作成して営業所に備え、かつ、これにより事業用自動車の運転者等に対し、適切な指導をしなければならない。

7 補助者への指導（運輸規則第 48 条第 1 項第 19 号）

　運行管理者は、事業者により選任された補助者に対する指導及び監督を行わなければならない。

8 従業員に対する事故防止対策に基づく指導（運輸規則第 48 条第 1 項第 21 号）

　運行管理者は、事故報告規則第 5 条の規定により定められた事故防止対策に基づき、事業用自動車の運行の安全の確保について、従業員に対する指導及び監督を行わなければならない。

過去問にチャレンジ！

① 事業者は、その事業用自動車の運転者に対し、主として運行する路線又は営業区域の状態及びこれに対処することができる運転技術並びに法令に定める自動車の運転に関する事項について、適切な指導監督をしなければならない。この場合においては、その日時、場所及び内容並びに指導監督を行った者及び受けた者を記録し、かつ、その記録を営業所において1年間保存しなければならない。

〔答〕　✕　前半は正しいが、その記録は3年間保存しなければならない。

② 事業用自動車が非常信号用具、非常口又は消火器を備えたものであるときは、当該事業用自動車の乗務員等に対し、これらの器具の取扱いについて適切な指導を行うことは、旅客自動車運送事業の運行管理者の行わなければならない業務である。

〔答〕　○　運輸規則第48条第1項第16号及び第38条第5項により正しい。

③ 運行管理規程を定め、かつ、その遵守について運行管理業務を補助させるため選任した補助者及び運転者に対し指導及び監督を行うことは、旅客自動車運送事業者の運行管理者が行わなければならない業務である。

〔答〕　✕　運行管理規程を定めるのは、事業者の義務である（32ページ参照）。

④ 従業員に対し、効果的かつ適切に指導監督を行うため、輸送の安全に関する基本的な方針を策定し、これに基づき指導及び監督を行うことは、旅客自動車運送事業の運行管理者が行わなければならない業務である。

〔答〕　✕　輸送の安全に関する基本的な方針を策定するのは、事業者の義務である。

⑤ 事業用自動車の運転者は、乗務を終了したときは、交替する運転者に対し、乗務中の事業用自動車、道路及び運行状況について通告し、この場合において、乗務する運転者は、当該事業用自動車の制動装置、走行装置その他の重要な部分の機能について点検をすることについて、一般旅客自動車運送事業者は指導する。

〔答〕　○　旅客自動車運送事業者の事業用自動車の運転者は、本問の内容についての遵守義務がある（運輸規則第50条第1項第8号）。そして、旅客自動車運送事業者は、従業員に対し、輸送の安全及び旅客の利便を確保するため誠実に職務を遂行するように指導監督する義務があるため正しい。本問は、指導監督の問題の選択肢の1つとして、よく出題される。

ROAD 13　特別な指導監督及び適性診断

重要度

合格への道　「特別な指導監督」と「適性診断」は毎回のように出題される重要項目だ。覚えることは多いが、同じ知識が繰り返し出題されているので、過去問を参考に学習しよう。

CHECK □ 特別な指導及び適性診断（運輸規則第 38 条第 2 項、第 36 条第 2 項、指導監督指針第 2 章）

　旅客自動車運送事業者は、国土交通大臣が告示で定めるところにより、次の運転者に対して、事業用自動車の運行の安全を確保するために遵守すべき事項について特別な指導を行い、かつ、国土交通大臣が認定する適性診断を受けさせなければならない。これらの対象者をまとめると、次のようになる。

■ 特別な指導及び適性診断の対象者 ■

・**事故惹起運転者**　※「惹起」とは、引き起こしたという意味
　①死者又は重傷者を生じた交通事故を引き起こした運転者
　②軽傷者を生じた交通事故を引き起こし、**かつ**、当該事故前の 3 年間に交通事故を引き起こしたことがある運転者

・**初任運転者**
　①**当該事業者**において、事業用自動車の運転者として新たに雇い入れた者
　②**当該事業者**において、**他の種類**の事業用自動車の運転者として**選任されたことがある者**であっても、**当該種類**の事業用自動車の運転者として初めて選任される者

↓

ただし、次の者は除外される！

↓

除外①：雇入日又は選任日前の 3 年間に「他の旅客自動車運送事業者」において、**当該事業者と同一種類の事業の事業用自動車の運転者として選任されたことがある者**

除外②：一般乗用旅客自動車運送事業者（個人タクシー事業者を除く）において、「**当該事業者の営業区域内**」において、**雇入れ日前2年以内に通算90日以上、一般乗用**旅客自動車運送事業の事業用自動車の**運転者**であった者

・**準初任運転者：**
　直近1年間に、**当該一般貸切**旅客自動車運送**事業者**において、**運転の経験**（実技の指導を受けた経験を含む）**のある貸切バスより大型の車種区分の貸切バスに乗務しようとする運転者**

・**高齢運転者：**65歳以上の者

　ここでの**ポイント**は「**初任運転者**」と「**準初任運転者**」に該当するか否かの判断ができるかだ。「**初任運転者**」の原則としては、**当該事業者に運転者として新たに雇い入れられたか**、**前に運転者として選任**されていたとしても、**別種類の事業用自動車**であった場合なので、難しい話ではない。

　しかし、**例外（初任運転者に該当しない＝特別な指導等が不要）**については2つのパターンがあり、これらは根拠条文が異なる。ここは以下のように考えていれば、試験に対応できるはずだ。

・過去に「**他の事業者**」において運転者であった場合：
　→**前3年間に、同一種類の事業の運転者**であれば、特別な指導は不要
　（指導監督指針の問題）

・過去に「**当該事業者の営業区域内**」において運転者であった場合：
　→**前2年以内に通算90日以上、運転者**であれば、特別な指導は不要
　（運輸規則の問題）

　初任運転者に関する問題文を見た際、「**他の事業者**」又は「**当該事業者の営業区域内**」というキーワードに着目して、どのケースの話なのかを判断しよう。

次に、特別な指導の**指導内容**、**実施時期**、**実施時間**を対象者ごとに比較すると、次のようになる。

■ 特別な指導 ■

対象者	指導内容	実施時期	実施時間
事故惹起運転者	①事業用自動車の**運行の安全**及び**旅客の安全の確保**に関する**法令等** ②交通事故の**事例の分析に基づく再発防止対策** ③交通事故にかかわる運転者の**生理的及び心理的要因**並びにこれらへの**対処方法** ④運行の安全及び旅客の安全を確保するために留意すべき事項 ⑤**危険の予測及び回避** ⑥ドライブレコーダーの記録を利用した運転特性の把握と是正 ⑦安全運転の実技	原則 当該交通事故を引き起こした後、再度事業用自動車に**乗務する前** 例外 **外部の専門的機関における指導講習を受講予定の場合**	貸切バス以外 ①～⑤は、合計6時間以上 ⑦の実技指導は、可能な限り実施することが望ましい 貸切バス ①～⑥は、合計10時間以上 ⑦の実技指導は、20時間以上実施
初任運転者	①事業用自動車の**安全な運転**に関する**基本的事項** ②事業用自動車の**構造上の特性と日常点検の方法** ③運行の安全及び旅客の安全を確保するために**留意すべき事項** ④危険の予測及び回避 ⑤安全性の向上を図るための装置を備える**貸切バスの適切な運転方法** ⑥ドライブレコーダーの記録を利用した運転特性の把握と是正 ⑦安全運転の実技	当該旅客自動車運送事業者において**初めて**当該事業の事業用自動車の運転者に**選任される前**	貸切バス以外 ①～⑤は、**合計6**時間以上 ⑦の実技指導は、可能な限り実施することが望ましい 貸切バス ①～⑥は、**合計10**時間以上 ⑦の実技指導は、20時間以上実施

準初任 運転者	初任運転者に対する指導内容のうち、少なくとも次のものを実施 ④**危険の予測及び回避**（制動装置の急な操作に関する内容に限る） ⑥ドライブレコーダーの記録を利用した運転特性の把握と是正 ⑦安全運転の実技	直近**1年間**に当該一般**貸切**旅客自動車運送事業者において運転の経験（実技の指導を受けた経験を含む）のある貸切バスより大型の車種区分の貸切バスに**乗務する前**	**貸切バスの運転者**⑦の実技指導は、**20時間以上** その他は、**初任運転者**に対して実施する時間と同程度以上の時間
高齢 運転者	**適性診断の結果を踏まえ、**個々の運転者の加齢に伴う身体機能の変化の程度に応じた事業用自動車の安全な**運転方法等**について運転者が**自ら考えるよう指導**	所定事項について、**適性診断の結果が判明した後1ヵ月以内**	特に定めなし

　少し補足しておくと、「指導内容」の「⑦**安全運転の実技**」については、**実際に運行する可能性のある経路**（高速道路、坂道、隘路、市街地等）において、道路、交通及び旅客の状況並びに時間帯を踏まえ、当該運転者が**実際に運転する事業用自動車と同一の車種区分の自動車を運転させ**、安全な運転方法を添乗等（貸切バスの運転者にあっては、添乗）により指導するとされている。ポイントは、この**実技が20時間以上実施**されることであるが、実技である以上、実際の自動車を運転するという点も意識しておこう。

 ちょこっとアドバイス !!

特別な指導等については、様々な規定がありはじめは混乱するかもしれない。しかし、**出題内容は同じ知識が多いので**、**過去問題と解説を行き来して慣れれば、十分対応できる。**

また、**適性診断の対象者、受診時期**を対象者ごとに比較すると、次のようになる。

■ 適性診断 ■

	事故惹起運転者	初任運転者	高齢運転者
対象者	①**死者**又は**重傷者**を生じた交通事故を引き起こした者 ②**軽傷者**を生じた交通事故を引き起こし、かつ、当該事故前の**3年間**に交通事故を引き起こしたことがある者	初任運転者であって、雇入れの日の前**3年**間に初任運転者のための適性診断を受診したことがない者	65歳に達した者
受診時期	原則 当該交通事故を引き起こした後、**再度事業用自動車に乗務する前** 例外 やむを得ない事情がある場合には、**乗務開始後1ヵ月以内**	事業用自動車の運転者として**選任される前**	・**65歳**に達した日以後1年以内に1回、その後75歳に達するまでは3年以内ごとに1回 ・75歳に達した日以後は1年以内に1回、その後1年以内ごとに1回

　なお、**一般旅客自動車運送事業者は**、常時選任する運転者その他事業用自動車の**運転者を新たに雇い入れた場合**には、**当該運転者について**、自動車安全運転センター法に規定する自動車安全運転センターが交付する無事故・無違反証明書又は運転記録証明書等により、**雇い入れる前の事故歴を把握し、事故惹起運転者に該当するか否かを確認**する。

　そして、**確認の結果、当該運転者が事故惹起運転者に該当**した場合で、**特別な指導を受けていない**場合には、**特別な指導を実施**する（指導監督指針第2章5（1）及び（2））。

過去問にチャレンジ！

① 一般貸切旅客自動車運送事業者が貸切バスの運転者に対して行う初任運転者に対する特別な指導は、事業用自動車の安全な運転に関する基本的事項、運行の安全及び旅客の安全を確保するために留意すべき事項等について、6時間以上実施するとともに、安全運転の実技について、15時間以上実施すること。

答　✕　一般貸切旅客自動車運送事業者が「**貸切バス**」の運転者に対して行う初任運転者に対する特別な指導は、事業用自動車の**安全な運転**に関する**基本的事項**、運行の安全及び旅客の安全を確保するために留意すべき事項等について、**10時間以上**実施するとともに、**安全運転の実技**について、**20時間以上**実施することとされている。

② 事業者は、事故惹起運転者に対する特別な指導については、当該交通事故を引き起こした後、再度事業用自動車に乗務する前に実施すること。ただし、やむを得ない事情がある場合には、再度事業用自動車に乗務を開始した後1ヵ月以内に実施すること。なお、外部の専門的機関における指導講習を受講する予定である場合は、この限りでない。

答　✕　指導監督指針第2章3（1）①によると、事業者は、事故惹起運転者に対する特別な指導については、当該交通事故を引き起こした後、**再度事業用自動車に乗務する前に実施する**こととされており、「やむを得ない事情がある場合には、再度事業用自動車に乗務を開始した後1ヵ月以内に実施する」という例外規定はない。なお、外部の専門的機関における指導講習を受講する予定である場合については、正しい。

③ 一般貸切旅客自動車運送事業者は、初任運転者以外の者であって、直近1年間に当該事業者において運転の経験（実技の指導を受けた経験を含む。）のある貸切バスより大型の車種区分の貸切バスに乗務しようとする運転者（準初任運転者）に対して、当該大型の車種区分の貸切バスに乗務する前に所定の特別な指導を実施すること。

答　〇　指導監督指針第2章2（3）により正しい。

④ 事業者は、法令に基づき事業用自動車の常時選任する運転者その他事業用自動車の運転者を新たに雇い入れた場合には、当該運転者について、自動車安全運転センターが交付する無事故・無違反証明書又は運転記録証明書等により、事故歴を把握し、事故惹起運転者に該当するか否かを確認すること。また、確認の結果、当該運転者が事故惹起運転者に該当した場合であって、特別な指導を受けていない場合には、特別な指導を実施すること。

答　〇　指導監督指針第2章5（1）及び（2）により正しい。

⑤　事業者は、高齢運転者に対する特別な指導については、国土交通大臣が認定した高齢運転者のための適性診断の結果を踏まえ、個々の運転者の加齢に伴う身体機能の変化の程度に応じた事業用自動車の安全な運転方法等について運転者が自ら考えるよう指導する。この指導は、当該適性診断の結果が判明した後1ヵ月以内に実施する。

⑥　適齢診断（高齢運転者のための適性診断として国土交通大臣が認定したものをいう。）を運転者が65歳に達した日以後1年以内に1回、その後70歳に達するまでは3年以内ごとに1回、70歳に達した日以後1年以内に1回、その後1年以内ごとに1回受診させること。

⑦　事業者（個人タクシー事業者を除く。）は、適齢診断（高齢運転者のための適性診断として国土交通大臣が認定したもの。）を運転者が65才に達した日以後1年以内に1回、その後75才に達するまでは3年以内ごとに1回、75才に達した日以後1年以内に1回、その後1年以内ごとに1回受診させること。

⑧　一般乗用旅客自動車運送事業者（個人タクシー事業者を除く。）は、運転者として新たに雇い入れた者が当該事業者の営業区域内において雇入れの日前2年以内に通算60日以上一般乗用旅客自動車運送事業の事業用自動車の運転者であったときは、新たに雇い入れた者に対する特別な指導を行わなくてもよい。

⑨　一般旅客自動車運送事業者の事業用自動車の運行の安全を確保するために、事業者が行う国土交通省告示で定める特定の運転者に対する特別な指導の指針に関する次の文中、A、B、Cに入るべき字句としていずれか正しいものを1つ選びなさい。（選択肢2のみ掲載）

2.　貸切バス以外の一般旅客自動車の運転者として新たに雇い入れた者又は選任した者にあっては、雇入れの日又は選任される日前　B　間に他の旅客自動車運送事業者において当該旅客自動車運送事業者と同一の種類の事業の事業用自動車の運転者として選任されたことがない者に対して、特別な指導を行わなければならない。

　　　B　①　1年　　②　3年

⑩　事業者は、軽傷者（法令で定める傷害を受けた者）を生じた交通事故を起こし、かつ、当該事故前の3年間に交通事故を引き起こした運転者に対し、国土交通大臣が告示で定める適性診断であって国土交通大臣の認定を受けたものを受診させること。

過去問にチャレンジ！　解答

➡ ⑤　○　指導監督指針第2章4（3）、2（4）及び3（1）④により正しい。

➡ ⑥　×　指導監督指針第2章4（3）より、70歳ではなく、75歳である。

➡ ⑦　○　指導監督指針第二章4（3）により正しい。少しややこしい問題だが、上記
⑥の出題パターンと併せて確認しておくことで、出題されたら正解できるように
しておこう。

➡ ⑧　×　本問の場合、**当該事業者の営業区域内**において、**雇入れの日前2年以内に
通算90日以上**、一般乗用旅客自動車運送事業の事業用自動車の運転者であった
ときは、新たに雇い入れた者に対する特別な指導を行わなくてもよい。

➡ ⑨　②　3年　指導監督指針第2章2（2）は、**貸切バス以外の一般旅客自動車の運
転者として新たに雇い入れた者又は選任した者にあっては、雇入れの日又は選任さ
れる日前3年間に、他の旅客自動車運送事業者**において当該旅客自動車運送事業者と
同一の種類の事業の事業用自動車の運転者として選任されたことがない者に対して、
特別な指導を行わなければならないとしている。

➡ ⑩　○　指導監督指針第2章4（1）①により正しい。

ROAD 14

運転者等の遵守事項

重要度

合格への道　ここでは運転者や乗務員などに対する義務を紹介する。出題頻度は高くないが、出題されたときには1問分（選択肢4つ）として出題されることが多いので、試験前には目を通しておきたい。

CHECK
□ **1　運転者の遵守事項（運輸規則第49条、第50条）**

　旅客自動車運送事業者の事業用自動車の運転者は、次に掲げる事項を遵守しなければならない。

主な運転者の遵守事項

①乗務前や事業用自動車の運行中に、**疾病、疲労、睡眠不足、天災その他の理由により安全な運転を継続することができないおそれがあるとき**は、その旨を当該旅客自動車運送事業者に**申し出る**。

②事業用自動車の**故障等により踏切内で運行不能**となったときは、速やかに**旅客を誘導**して退避させるとともに、**列車に対し適切な防護措置**をとる。

③坂路において事業用自動車から離れるとき及び**安全な運行に支障がある箇所を通過するときは、旅客を降車させる**。

④踏切を通過するときは、**変速装置を操作しない**。

⑤**乗務を終了して他の運転者と交替するとき、交替する運転者に対し、乗務中の事業用自動車、道路及び運行の状況について通告する**。この場合において、**乗務する運転者**は、**当該事業用自動車の**制動装置、走行装置その他の**重要な部分の機能について**点検をする。

⑥路線定期運行を行う一般乗合旅客自動車運送事業者の運転者は、乗務中法令の規定に基づき作成された**運行表を携行**する。

⑦一般乗用旅客自動車運送事業者の事業用自動車の運転者は、**食事もしくは休憩のため運送の引受けをすることができない**場合、又は、乗務の終了等のため車庫もしくは営業所に回送しようとする場合には、**回送板を掲出**する。

---

⑧一般貸切旅客自動車運送事業者の運転者は、**乗務中、運行指示書を携行しなければならない。⇒この携行を省略できる場合はない！**

⑨**乗車定員 11 人以上**の一般乗合旅客自動車運送事業者、一般貸切旅客自動車運送事業者及び特定旅客自動車運送事業者の事業用自動車の**乗務員**は、**運行時刻前の発車**、旅客の現在する自動車の**走行中職務を遂行するために必要な事項以外の事項について話をしてはならない。**

なお、一般乗合旅客自動車運送事業者の事業用自動車の**乗務員**は、**旅客が自動車内で法令の規定、公の秩序、善良の風俗に反する行為をするとき、こ**れを制止し、又は必要な事項を旅客に指示する等の措置を講ずることにより、輸送の安全を確保し、車内の秩序を維持するように努めなければならない。

CHECK ☐　2　旅客の遵守事項（運輸規則第 52 条、第 53 条）

一般乗合旅客自動車運送事業者の事業用自動車を利用する**旅客**は、やむを得ない場合のほか、**次に掲げる行為をしてはならない。**

主な旅客の遵守事項

①**動物**（身体障害者補助犬法による身体障害者補助犬及びこれと同等の能力を有すると認められる犬並びに愛玩用の小動物を除く）**を事業用自動車内に持ち込むこと。**

②**禁煙の表示**のある事業用自動車内での**喫煙。**

③走行中みだりに運転者に話しかける、物品をみだりに車外へ投げること。

④**走行中に乗降口の扉を開閉する、**自動車の操縦装置、制動装置その他**運行に必要な機械装置に手を触れ、非常口など車外への脱出装置を操作す**ること。

⑤**一般の旅客に対して寄附もしくは物品の購買を求め、演説し、勧誘し、又は物品を配付すること。**

① 一般貸切旅客自動車運送事業者の事業用自動車の運転者は、運行中、所定の事項を記載した運行指示書が当該事業用自動車の運行を管理する営業所に備えられ、電話等により必要な指示が行われる場合にあっては、当該運行指示書の携行を省略することができる。

② 旅客自動車運送事業者の事業用自動車の運転者は、乗務を終了したときは、交替する運転者に対し、乗務中の事業用自動車、道路及び運行状況について通告すること。この場合において、乗務する運転者は、当該事業用自動車の制動装置、走行装置その他の重要な部分の機能について異常のおそれがあると認められる場合には、点検をすること。

③ 旅客自動車運送事業者の事業用自動車の運転者は、坂路において事業用自動車から離れるとき及び安全な運行に支障がある箇所を通過するときは、旅客を降車させること。

④ 一般乗用旅客自動車運送事業者の事業用自動車の運転者は、食事若しくは休憩のため、及び営業区域外から営業区域に戻るため、運送の引受けをすることができない場合又は乗務の終了等のため車庫若しくは営業所に回送しようとする場合には、回送板を掲出すること。

⑤ 事業用自動車（乗車定員 11 人以上のものに限る。）の運転者は、旅客の現在する自動車の走行中職務を遂行するために必要な事項以外の事項について話をしてはならない。

⑥ 一般貸切旅客自動車運送事業者の事業用自動車の運転者は、夜間において長距離の運行を行うときは、当該乗務の途中において少なくとも一回電話その他の方法による点呼を受け、法令に定めるところにより、報告をしなければならない。

⑦ 一般乗合旅客自動車運送事業者の事業用自動車を利用する旅客は、動物（身体障害者補助犬法による身体障害者補助犬及びこれと同等の能力を有すると認められる犬並びに愛玩用の小動物を除く。）を事業用自動車内に持ち込んではならない。

過去問にチャレンジ！　解答

① ×　運輸規則第50条第11項によると、一般貸切旅客自動車運送事業者の**運転者は、乗務中、運行指示書を携行しなければならない**。そして、本問のように運行指示書の携行を省略できる場合はない。

② ×　運輸規則第50条第1項第8号によると、旅客自動車運送事業者の事業用自動車の**運転者は、乗務を終了したときは、交替する運転者に対し、乗務中の事業用自動車、道路及び運行の状況について通告する**こととされており、この場合、乗務する運転者は、**当該事業用自動車の制動装置、走行装置その他の重要な部分の機能について点検をする**こととされている。異常のおそれがあると認められる場合に限らない。

③ ○　運輸規則第50条第1項第5号により正しい。

④ ×　一般乗用旅客自動車運送事業者の事業用自動車の**運転者は、①食事若しくは休憩のため運送の引受けをすることができない場合、又は②乗務の終了等のため車庫若しくは営業所に回送しようとする場合**には、回送板を掲出しなければならない。また、それ以外の場合には、回送板を提出してはならない。よって、「営業区域外から営業区域に戻るため」という場合は、提出してはならない。

⑤ ○　運輸規則第49条第3項第2号により正しい。

⑥ ○　運輸規則第50条第10項により正しい。

⑦ ○　運輸規則第52条第14号により正しい。

ROAD 15　安全管理規程

重要度

> **合格への道**
>
> 「安全管理規程」は、比較的近年から出題されはじめたテーマである。出題頻度は低く、難しい問題も出ていないので、ここで紹介する知識を押さえておけば試験には対応できるだろう。

CHECK □ 安全管理規程の定めと変更（運送法第22条の2、運輸規則第47条の2等）

　事業の規模が一定以上の一般旅客自動車運送事業者は、安全管理規程を定め、国土交通省令で定めるところにより、国土交通大臣に届け出なければならない。これを変更しようとするときも同じ（届出が必要）である。

　そして、安全管理規程を定めなければならない事業の規模は、事業の用に供する事業用自動車の保有車両数が200両以上の事業者であり、安全管理規程を定めなければならない一般旅客自動車運送事業者は、安全統括管理者を選任しなければならない。

　なお、安全統括管理者を選任又は解任したとき、当該事業者は、国土交通省令で定めるところにより、遅滞なく、その旨を国土交通大臣に届け出なければならない。

――――――（ 過去問にチャレンジ！　問題 ）――――――

① 　道路運送法（以下「法」という。）第22条の2第1項の規定により安全管理規程を定めなければならない事業者は、安全統括管理者を選任したときは、国土交通省令で定めるところにより、遅滞なく、その旨を国土交通大臣に届け出なければならない。

② 　一般乗用旅客自動車運送事業の用に供する事業用自動車の保有車両数が100両以上の事業者は、安全管理規程を定めて国土交通大臣に届け出なければならない。これを変更しようとするときも、同様とする。

③ 　運行管理規程を定め、かつ、その遵守について運行管理業務を補助させるため選任した補助者及び運転者に対し指導及び監督を行うことは、運行管理者の業務である。

◆ 安全管理規程のポイント

①安全管理規程を定めなければならない事業者の「規模」は…
　⇒事業用自動車の保有車両数が 200 両以上の事業者。
②安全管理規程を「変更」したときも届出が必要？
　⇒**必要**。
③安全管理規程を定める事業者が「選任」しなければならないのは…
　⇒**安全統括管理者**。
④安全統括管理者を選任又は解任したとき、事業者は…
　⇒遅滞なく、国土交通大臣に**届け出なければならない**。

 ちょこっとアドバイス!!

そもそも「**安全管理規程**」とは、**輸送の安全を確保**するために、一般旅客自動車運送**事業者が遵守すべき一定の事項を定めるもの**である。具体的には、輸送の安全を確保するための事業の運営方針や管理体制に関する事項などが規定される。なお、32 ページでは「**運行管理規程**」について触れたが、「運行管理規程」は、**運行管理者等の職務及び権限等について定めるもの**だ。両者を混同しないようにしておくこと。

───〈 過去問にチャレンジ！〉 解答 〉───

① 〇　運送法第 22 条の 2 第 4 項及び第 5 項により正しい。

② ×　安全管理規程を定め、国土交通大臣に届け出なければならない事業者は、事業用自動車の保有車両数が 200 両以上の事業者である。「100 両以上」**ではない**。なお、安全管理規程を変更する際も届出が**必要**である。

③ ×　「運行管理規程」の定めは、**事業者**の業務である。なお、本問は「安全管理規程」と直接の関連性はないが、両者を混同しないように紹介している。

運行管理者の講習

重要度

合格への道　運行管理者の講習については、まれに選択肢の1つとして出題される程度である。ポイントを絞った知識を紹介するので、ここで紹介する内容くらいは押さえておこう。

^{CHECK}☐ 運行管理者に受けさせる講習（運輸規則第48条の4、国土交通省告示第454号）

　旅客自動車運送事業者は、一定の場合、国土交通大臣の告示の定めによって、運行管理者に次の講習を受けさせなければならない。まず前提として、講習の種類と内容は以下のとおりである。

◆ 講習の種類と内容

> ・**基礎講習**…運行管理に必要な法令、業務等の**基礎的**な知識について
> ・**一般講習**…運行管理に必要な法令、業務等に関する**最新**の知識について
> ・**特別講習**…**事故**や輸送の安全に係る**法令違反の再発防止**について

◆「基礎講習」又は「一般講習」を受講すべきケースと時期

> ①運行管理者を新たに選任した場合
> ⇒選任届出をした日の属する年度（やむを得ない理由がある場合は、翌年度）に受講させる。
> ⇒まだ**基礎講習を受講していない運行管理者**にあっては、一般講習ではなく、基礎講習を受講させなければならない。
>
> ②**死者又は重傷者が生じた事故**を引き起こした場合や、**運送法第40条**（許可の取消し等）による処分（輸送の安全に係るものに限る）の原因となった違反行為をした場合（以下「事故等」とする）
> ⇒事故等に係る営業所に属する運行管理者に、事故等があった日の属する年度及び翌年度（やむを得ない理由がある場合は、当該年度の翌年度及び翌々年度、既に当該年度に基礎講習又は一般講習を受講させた場合は、翌年度）。

③最後に基礎講習又は一般講習を受講した日の属する年度の翌々年度を経過した者

⇒以後2年ごと。

◆「特別講習」を受講すべきケースと時期（前ページの②）

事故等に係る営業所に属する運行管理者（当該営業所に複数の運行管理者が選任されている場合にあっては、統括運行管理者及び事故等について相当の責任を有する者として運輸監理部長又は運輸支局長が指定した運行管理者）に、**事故等があった日**（運輸監理部長又は運輸支局長の指定を受けた運行管理者にあっては、当該指定の日）**から1年**（やむを得ない理由がある場合は1年6ヵ月）**以内に、できる限り速やかに受講させる。**

 ちょこっとアドバイス!!

講習については、ほとんど出題されないので、捨ててしまうのも手だ。この学習に時間をかけるよりも、まずは「事故の報告と速報」や「点呼等」といった超重要項目を完璧にするほうが、合格に近づけるはずだ。

───── 過去問にチャレンジ！ ─────

① 事業者は、新たに選任した運行管理者に、選任届出をした日の属する年度（やむを得ない理由がある場合にあっては、当該年度の翌年度）に基礎講習又は一般講習を受講させなければならない。ただし、他の事業者において運行管理者として選任されていた者にあっては、この限りでない。

图 × 「旅客自動車運送事業運輸規則第47条の9第3項、第48条の4第1項、第48条の5第1項及び第48条の12第2項の運行の管理に関する講習の種類等を定める告示」第4条第1項によると、事業者は、新たに選任した運行管理者に、**選任届出をした日の属する年度**（やむを得ない理由がある場合にあっては、当該年度の翌年度）に基礎講習又は一般講習（基礎講習を受講していない当該運行管理者にあっては、基礎講習）を受講させなければならない。よって、**前半部分は正しい。**

　　しかし、通達「旅客自動車運送事業運輸規則の解釈及び運用について」第48条の4（2）ただし書によると、**他の事業者において運行管理者として選任されていた者であっても当該事業者において運行管理者として選任されたことがなければ、新たに選任した運行管理者とする**とされている。したがって、本肢の後半部

分が誤っている。

[2] 事業者は、死者又は重傷者（法令で定める傷害を受けた者）を生じた事故を引き起こした場合には、これに係る営業所に属する運行管理者（統括運行管理者が選任されている場合にあっては、統括運行管理者及び当該事故について相当の責任を有する者として運輸支局長等が指定した運行管理者）に、事故があった日（運輸支局長等の指定を受けた運行管理者にあっては、当該指定の日）から1年（やむを得ない理由がある場合にあっては、1年6ヵ月）以内においてできる限り速やかに特別講習を受講させなければならない。

答 ○ 「旅客自動車運送事業運輸規則第47条の9第3項、第48条の4第1項、第48条の5第1項及び第48条の12第2項の運行の管理に関する講習の種類等を定める告示」第5条により正しい。

　ちょこっとアドバイス!!

以上で第1章の「運送法」に関する学習は終了である。この分野で覚えるべき知識は多く、そして、第5章の「実務上の知識及び能力」でも重ねて出題されることが通常なので、第1章「運送法」の内容をしっかりと押さえることが、合格への第1関門といえる。「運送法」に関する知識をすべて紹介したわけではないが、合格するためには十分な内容となっているので、あとは試験までに、しっかり身に付けてほしい。

なお、「貸切バスの交代運転者の配置基準」についても、「運送法」に関する分野（例年の問1〜問8）で出題されたことはあるが、稀なケースであるため、第5章の「実務上の知識及び能力」の分野で解説する。

第2章

車両法関係

車両法の目的と自動車の種別

重要度

合格への道 この項目の出題頻度と難度は低い。まずは他の項目をしっかり押さえ、念のため、試験前に確認しておく程度でよいだろう。

CHECK □ 1 車両法の目的（車両法第1条）

車両法の目的は次のとおりである。

第1条

この法律は、道路運送車両に関し、**所有権についての公証等**を行い、並びに**安全性の確保**及び**公害の防止**その他の環境の保全並びに**整備についての技術の向上**を図り、併せて自動車の**整備事業**の健全な発達に資することにより、**公共の福祉**を増進することを目的とする。

ポイント 上記の条文の穴埋め問題が出題されたことがある。試験対策として、赤字部分を中心に車両法の目的をしっかり押さえておこう。なお、過去には「整備事業」という部分を「製造事業」としたヒッカケ問題も出題されている。

CHECK □ 2 道路運送車両の定義（車両法第2条第1項）

車両法は「道路運送車両」について、自動車、原動機付自転車及び軽車両と定義している。

ポイント 〈道交法の車両と混同してはダメ！〉
道交法が「車両」について、自動車、原動機付自転車、軽車両のほか、トロリーバスも含めていること（121ページ）と混同しないよう注意しよう。

CHECK □ 3 自動車の種別（車両法第3条）

車両法に規定する**普通自動車**、**小型自動車**、**軽自動車**、**大型特殊自動車**及び**小型特殊自動車**の別は、自動車の大きさ及び構造並びに原動機の種類及び総排気量又は定格出力を基準として国土交通省令に定められている。

　ここで意識しておきたいことは、「**車両法**」と「**道交法**」での車両や自動車の定義が異なる点だ。例えば、「**道交法**」では、**大型自動車**という区分があるが、「**車両法**」の世界において、**大型自動車という自動車はない**。

　また、平成 29 年 3 月 12 日以降、「**道交法**」の世界では、準中型自動車（免許）という区分が新設されたが、「**車両法**」における自動車の種別は、従来のままである。

法律ごとに区分が違うのね！

5種類

大型自動車はナイぞ！

━━━━ 過去問にチャレンジ！ ━━━━

① 　道路運送車両法の目的についての次の文中、A、B、C、D に入るべき字句としていずれか正しいものを 1 つ選びなさい。

　この法律は、道路運送車両に関し、 A についての公証等を行い、並びに B 及び C その他の環境の保全並びに整備についての技術の向上を図り、併せて自動車の整備事業の健全な発達に資することにより、 D ことを目的とする。

A　1.　所有権　　　　　　　　　2.　取得
B　1.　運行の安定性の確保　　　2.　安全性の確保
C　1.　騒音の防止　　　　　　　2.　公害の防止
D　1.　道路交通の発達を図る　　2.　公共の福祉を増進する

② 　道路運送車両法に規定する自動車の種別は、自動車の大きさ及び構造並びに原動機の種類及び総排気量又は定格出力を基準として定められ、その別は、大型自動車、普通自動車、小型自動車、軽自動車、大型特殊自動車、小型特殊自動車である。

• •

〔答〕
① 　A：1　B：2　C：2　D：2　「1　車両法の目的」で挙げた車両法第 1 条の条文を参照。

② 　×　車両法に規定される自動車の種別に、大型自動車は**含まれない**。

ROAD 2　登録と自動車登録番号標

重要度 🚗🚗🚗

> **合格への道**　「登録」と「自動車登録番号標（ナンバープレート）」は、毎回出題される重要項目であり、セットで出題されることも多い。ここで紹介する話のうち、赤字部分はすべて押さえておきたい。

CHECK □　1　登録（車両法第4条〜7条、第12条、第13条、第15条）

　自動車（軽自動車、小型特殊自動車及び二輪の小型自動車を除く）は、自動車登録ファイルに登録を受けなければ、**運行の用に供してはならない**。

　したがって、未登録自動車を運行の用に供しようとする場合には、その所有者は国土交通大臣に対し、次の事項を記載した申請書に所定の書面を添えて提出し、かつ、当該自動車を提示して登録を受けなければならない（**新規登録**）。なお、**登録を受けた自動車**（一定の大型特殊自動車を除く）**の所有権の得喪**（得ること、喪失したこと）**は、登録を受けなければ、第三者に対抗できない**。他人に対して自分の所有権と主張できないということだ。

新規登録申請書の記載事項

・車名及び型式
・車台番号（車台の型式についての表示を含む）
・原動機の型式
・所有者の氏名又は名称及び住所
・使用の本拠の位置
・取得の原因

新規登録以外の主な登録

― ①**変更登録**：次の事項について変更があった場合に行う
　　・登録されている型式、車台番号、原動機の型式
　　・**所有者の氏名又は名称・住所**
　　・**使用の本拠の位置**
― ②**移転登録**：新規登録を受けた自動車について、**所有者の変更**があった場合に行う
― ③**永久抹消登録**：次の事由があった場合に行う
　　・登録自動車の**滅失**、**解体**
　　・登録自動車の**用途の廃止**
　　・当該自動車の車台が当該自動車の新規登録の際、存したものでなくなったとき

新規登録申請

所有者 ＋ 同時に

新規検査申請
（検査証交付申請）

　この登録の話でよく出題されるのは、新規登録「以外」についてである。特に所有者の変更があった場合に、移転登録が必要となり、変更登録ではない点に注意すること。また、念のため、各登録の申請者　は「（新）所有者」であり、使用者ではないことを意識しておこう。

■ 登録の種類と内容 ■

登録の種類	申請者	申請時期
新規登録	自動車の**所有者**	未登録自動車を運行の用に供しようとするとき
変更登録	自動車の**所有者**	自動車の**使用の本拠の位置**等の変更があった日から **15日以内**
移転登録	自動車の**新所有者**	自動車所有者の変更があった日から **15日以内**
永久抹消登録	自動車の**所有者**	登録自動車の**滅失、解体**[1] 又は自動車の**用途の廃止**等があった日から **15日以内**[2]

※1　整備又は改造のための場合は除く。
※2　解体の場合は、解体報告記録がなされたことを知った日から。

ゴロ　　以後（15日）、新参者以外は徒労（登録）する。

CHECK
□　**2　自動車登録番号標の表示（車両法第19条、同法施行規則第7条、第8条の2）**

　自動車登録番号標とは、ナンバープレートのことである。自動車は、自動車登録番号標を国土交通省令で定める位置に、かつ、被覆しないよう、これに記載された自動車登録番号（車のナンバー）の識別に支障が生じないものとして国土交通省令で定める方法で表示しなければ、運行の用に供してはならない。この表示は、自動車の運行中自動車登録番号が判読できるように、自動車登録番号標を自動車の前面及び後面の見やすい位置に確実に取り付ける。

ポイント　〈ナンバープレートは前後両面、見やすい位置！〉
　自動車登録番号標（ナンバープレート）は、自動車の前面だけでなく、後面にも取り付ける。また、任意の（好きな）位置に取り付けてはならない。

3　自動車登録番号標の封印等（車両法第 11 条）

　自動車の所有者は、自動車登録番号標（ナンバープレート）を自動車に取り付ける場合、**国土交通大臣又は封印取付受託者**の行う**封印**の**取付け**を受けなければならない。これは封印が**滅失**（失くなること）、**き損**した場合等も**同じ**である。

封印とはココ！

浜松×××　か 12-34

自動車登録番号標
（ナンバープレート）

　そして、国土交通大臣若しくは封印取付受託者が**取付けをした封印**又はこれらの者が封印の取付けをした**自動車登録番号標は取り外してはならない**。ただし、**整備のため特に必要があるとき**や、その他の国土交通省令で定める**やむを得ない事由**に該当するときは、**この限りでない**。

4　自動車登録番号標の廃棄等（車両法第 20 条第 2 項）

　登録自動車の所有者は、当該自動車の使用者が自動車の使用の停止を命ぜられ、自動車検査証を返納したとき（車両法第 69 条第 2 項）は、遅滞なく、当該**自動車登録番号標及び封印を取り外し**、自動車登録番号標について**国土交通大臣の 領 置**を受けなければならない。

廃棄

所有者が行う

 ちょこっとアドバイス!!

領置とは、国に提出したモノがそのまま国に保管される処分…と考えればよいであろう。

━━━━━━━━━━━━━━(過去問にチャレンジ！)━━━━━━━━━━━━━━

① 　登録自動車の所有者は、当該自動車の使用の本拠の位置に変更があったときは、道路運送車両法で定める場合を除き、その事由があった日から 30 日以内に、国土交通大臣の行う変更登録の申請をしなければならない。

② 　登録自動車について所有者の変更があったときは、新所有者は、その事由があった日から 15 日以内に、国土交通大臣の行う移転登録の申請をしなければならない。

③ 　登録自動車の所有者は、当該自動車が滅失し、解体し（整備又は改造のために解体する場合を除く。）、又は自動車の用途を廃止したときは、その事由があった日（使用済自動車の解体である場合には解体報告記録がなされたことを知った日）から 15 日以内に、永久抹消登録の申請をしなければならない。

④ 　登録自動車は、自動車登録番号標を国土交通省令で定める位置に、かつ、被覆しないことその他当該自動車登録番号標に記載された自動車登録番号の識別に支障が生じないものとして国土交通省令で定める方法により表示しなければ、運行の用に供してはならない。

⑤ 　登録自動車の所有者は、当該自動車の自動車登録番号標の封印が滅失した場合、国土交通大臣又は封印取付受託者の行う封印の取付けを受けなければならない。

⑥ 　自動車登録番号標及びこれに記載された自動車登録番号の表示は、国土交通省令で定めるところにより、自動車登録番号標を自動車の前面及び後面の任意の位置に確実に取り付けることによって行うものとする。

• •

答

① 　✕　変更登録の申請は、車両法で定める場合を除いて、その事由があった日から 15 日以内に行わなければならない。

② 　〇　車両法第 13 条第 1 項により正しい。

③ 　〇　車両法第 15 条第 1 項第 1 号により正しい。

④ 　〇　車両法第 19 条により正しい。

⑤ 　〇　車両法第 11 条第 4 項により正しい。

⑥ 　✕　自動車登録番号標は「見やすい位置」に取り付けなければならない。

ROAD 3　臨時運行の許可

合格への道　「臨時運行の許可」は前ページまでの「登録」等とセットで出題されることが多い。特に有効期間の満了後、いつまでに臨時運行許可証等を返納しなければならないかは頻出なので、ここはしっかり押さえよう。

CHECK □ 1　臨時運行の許可（車両法第 34 条〜第 36 条）

前ページまでのとおり、自動車は新規登録や自動車登録番号標の表示等をしなければ、原則として、運行の用に供してはならない。

ただし、**臨時運行の許可**を受けたときは、**臨時運行許可番号標を国土交通省令で定める位置に、被覆しないよう、その他当該臨時運行許可番号標に記載された番号の識別に支障が生じないものとして国土交通省令で定める方法により表示し、かつ、臨時運行許可証を備え付ければ**、例外的に、臨時運行許可証に記載された目的及び経路に従って運行の用に供することができる。なお、**臨時運行の許可の有効期間は 5 日を超えてはならない**。

臨時運行は、自動車の試運転や、自動車検査証が有効でない自動車の継続検査等をするための回送を行うときなどに許可される。

過去問にチャレンジ！　問題

---

① 　臨時運行の許可を受けた自動車を運行の用に供する場合には、臨時運行許可番号標を国土交通省令で定める位置に、かつ、被覆しないことその他当該臨時運行許可番号標に記載された番号の識別に支障が生じないものとして国土交通省令で定める方法により表示し、かつ、臨時運行許可証を備え付けなければならない。また、当該臨時運行許可証の有効期間が満了したときは、その日から 15 日以内に、当該臨時運行許可証及び臨時運行許可番号標を行政庁に返納しなければならない。

② 　臨時運行の許可を受けた者は、臨時運行許可証の有効期間が満了したときは、その日から 15 日以内に、当該臨時運行許可証及び臨時運行許可番号標を行政庁に返納しなければならない。

CHECK □ 2　臨時運行許可証等の返納 （車両法第 35 条第 6 項）

　臨時運行の許可を受けた者は、その有効期間が満了したときは、その日から 5 日以内に、当該行政庁に**臨時運行許可証及び臨時運行許可番号標を返納**しなければならない。

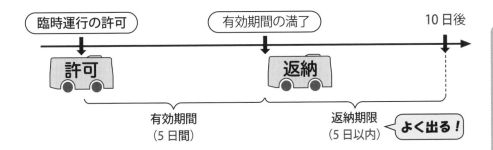

> **ポイント**　臨時運行許可（証）の「有効期間」と「返納期間」は、ともに 5 日間だ。下の「過去問にチャレンジ！」を見ればわかるように、前テーマで解説した**「登録の申請期間」**が各種事由のあった日から 15 日間であることとの混同を誘う問題がよく出ているので、注意しておこう！

〈過去問にチャレンジ！〉　解答

① ×　臨時運行許可証の有効期間が満了したときは、**その日から 5 日以内に、**当該臨時運行許可証及び臨時運行許可番号標を行政庁に返納しなければならない。本問は「15 日以内」としている点で誤っている。なお、本問の前半部分については、正しい。

② ×　臨時運行の許可を受けた者は、臨時運行許可証の有効期間が満了したときは、**その日から 5 日以内に、**当該臨時運行許可証及び臨時運行許可番号標を行政庁に返納しなければならない。15 日以内ではない。

ROAD 4　自動車検査証

重要度 ★★★

合格への道　自動車検査証はよく出題されている重要項目である。特に、保安基準適合標章を表示している場合は自動車検査証の備付け等をしなくても自動車を運行の用に供することができるという点は、押さえておこう。

CHECK ☐

1　自動車の検査及び自動車検査証（車両法第58条、第66条、第94条の5）

　自動車を運行の用に供するためには、原則として、次の要件を満たすことが必要である。

自動車を運行の用に供するための要件（原則）

①国土交通大臣の行う**検査**を受け、有効な**自動車検査証**の**交付**を受けていること。
②当該自動車に**自動車検査証**を備え付け、かつ、**検査標章**を表示する（自動車の前面ガラスの内側に前方かつ運転者席から見やすい位置に貼り付ける）こと。
⇒自動車検査証は、自動車の所属する営業所に備え付ける必要まではない。

　自動車検査証とは、いわゆる車検証のことであり、**検査標章**とは、その自動車が車検に通っていることを証明し、**車検の有効期間の満了する時期を表示する自動車に貼るステッカー**のことと考えればよい。**自動車検査証は当該自動車に備え置き、検査標章は当該自動車の前面ガラスに表示**していないと、その自動車を運行の用に供することができない。

　ただし、**指定自動車整備事業者（いわゆる民間車検場）が交付**した**有効な保安基準適合標章を自動車に表示**しているときは、上記①②の**自動車検査証の交付・備付けや検査標章の表示を行わなくても**、例外的に当該自動車を運行の用に供することができる。

　なお、国土交通大臣の行う検査を受け、**有効な自動車検査証の交付を受けている自動車**について、自動車又はその部分の改造、装置の取付け又は取り外しその他これらに類する行為であって、**当該自動車が道路運送車両の保安基準に適合しないこととなるものを行ってはならない。**

> **ポイント**　〈検査の種類は 5 種類！〉
> 　検査には**新規検査**（車両法第 59 条）、**継続検査**（同法第 62 条）、**臨時検査**（同法第 63 条）、**構造等変更検査**（同法第 67 条）、**予備検査**（同法第 71 条）の 5 種類がある。

　上記のとおり、そもそも「**検査**」には 5 種類がある。この検査について、具体的な内容までは出題されないが、**新規検査**とは、**新たに自動車を使用するときに受ける検査**であり、**継続検査**とは、**いわゆる車検の更新をイメージ**すればよい。

　臨時検査は、国土交通大臣が臨時検査を受けるべき旨を公示した一定の範囲の自動車の使用者が受ける検査だが、通常、特定の車種に問題が発覚した場合、自動車メーカーが自主的にリコールを届け出るので、この検査が行われることはまずない。

　そして、**構造等変更検査**とは、自動車の構造が変化したといえるような**一定の改造等をしたときに受ける検査**であり、**予備検査**は、一度、廃車手続（永久抹消登録）を行うなどした**ナンバーのない状態の自動車**について、再度、使用するための前提として、予備的に求められる検査である。

CHECK □ 2　検査標章（車両法第 66 条第 3 項、第 5 項）

　前ページで述べたように、**検査標章**には、国土交通省令で定めるところにより、その交付の際の**自動車検査証の有効期間の満了する時期**が表示される。

（表）

（裏）

　また、**検査標章**は、**自動車検査証が効力を失ったとき**、又は**継続検査、臨時検査、構造等変更検査の結果、自動車検査証の返付を受けることができなかったとき**は、当該自動車に**表示してはならない**。

なお、「自動車検査証の返付を受けることができない」とは、車検を受ける場合、自動車検査証を国土交通大臣に提出する。そして、国土交通大臣は検査の結果、当該自動車が保安基準に適合すると認めるときは、検査証に有効期間を記録して、自動車の使用者に返付し、適合しないと認めるときは、当該検査証を使用者に**返付しない**のだ。

_{CHECK} 3　自動車検査証の有効期間（車両法第61条、同法施行規則第44条）

旅客自動車運送事業用自動車であって、**検査対象軽自動車以外**のものにあっては、原則として、**自動車検査証の有効期間は1年**である。

その他の自動車にあっては、検査証の**有効期間は2年**である。なお、何度も繰り返すが、**検査標章**には、国土交通省令で定めるところにより、その交付の際の当該**自動車検査証の有効期間の満了する時期が表示されている。**

また、自動車検査証の有効期間の起算日（有効期間のカウントをはじめる日）は、次のとおりである。

■ 自動車検査証の有効期間の起算日 ■

> **原則**　自動車検査証を交付する日又は当該自動車検査証に係る有効期間を車両法第72条第1項の規定により記録する日。

> **例外**　自動車検査証の**有効期間が満了する日の1ヵ月前**（離島に使用の本拠の位置を有する自動車を除く）から当該期間が満了する日までの間に継続検査を行い、当該自動車検査証に係る有効期間を車両法第72条第1項の規定により記録する場合 ➡ 当該自動車検査証の有効期間が満了する日の翌日。

_{CHECK} 4　継続検査（車両法第61条の2、第62条）

登録自動車等の**使用者**は、自動車検査証の有効期間の満了後も当該自動車を使用しようとするときは、原則として当該自動車を提示し、**国土交通大臣の行う継続検査を受けなければならない。**これは、いわゆる**車検の更新**のことである。

ただし、一定の地域に使用の本拠の位置を有する自動車の使用者が、**天災その他やむを得ない事由**により、**継続検査を受けることができない**と認める

ときは、国土交通大臣は、当該地域に使用の本拠の位置を有する自動車の**自動車検査証の有効期間**を、**期間を定めて伸長する旨を公示**することができる。つまり、車検の更新をしようにもできない事情がある場合、**国土交通大臣は、車検の有効期間を延ばしてあげることができる**ということだ。

　また、**自動車の使用者**は、継続検査を申請しようとする場合において、車両法第 67 条第 1 項（**自動車検査証の記録事項の変更及び構造等変更検査**）の規定による**自動車検査証の変更記録の申請をすべき事由**があるときは、あらかじめ、その申請をしなければならない。

CHECK □ 5　自動車検査証記録事項の変更（車両法第 67 条）

　自動車の使用者は、**自動車検査証記録事項について変更**（具体的には、自動車の長さ、幅、高さなど）があったときは、その事由があった日から 15 日以内に、当該変更について、国土交通大臣が行う**自動車検査証の変更記録を受けなければならない。**

　なお、この**変更**によって自動車が保安基準に適合しなくなるおそれが認められるときは、国土交通大臣は当該自動車が保安基準に適合するかどうかにつき、**構造等変更検査**を受けるべきことを命じなければならない。

> 令和 5 年 1 月（軽自動車は令和 6 年 1 月）から**自動車検査証が電子化**され、車検証は紙から**IC タグが付いたカード**となった。出題可能性は高くないが、電子化されたことは知っておこう。

CHECK □ 6　自動車検査証の返納（車両法第 69 条）

　自動車の使用者は、当該自動車が**滅失、解体**（整備又は改造のための解体を除く）、自動車の**用途を廃止**したとき、その事由があった日（解体の場合は、解体報告記録がなされたことを知った日）から 15 日以内に、**当該自動車検査証を国土交通大臣に返納しなければならない。**

> **自動車検査証や検査標章**は、**滅失、き損、識別が困難**になった場合など、一定の場合は、**再交付を受けることができる**（車両法第 70 条）。再交付も認められる場合がある、ということを意識しておこう。

93

① 自動車の検査等についての次の記述のうち、正しいものを2つ選びなさい。なお、解答にあたっては、各選択肢に記載されている事項以外は考慮しないものとする。

1. 国土交通大臣の行う自動車（検査対象外軽自動車及び小型特殊自動車を除く。以下同じ。）の検査は、新規検査、継続検査、臨時検査、構造等変更検査及び予備検査の5種類である。

2. 自動車検査証の有効期間の起算日については、自動車検査証の有効期間が満了する日の2ヵ月前（離島に使用の本拠の位置を有する自動車を除く。）から当該期間が満了する日までの間に継続検査を行い、当該自動車検査証に有効期間を記録する場合は、当該自動車検査証の有効期間が満了する日の翌日とする。

3. 自動車運送事業の用に供する自動車は、自動車検査証を当該自動車又は当該自動車の所属する営業所に備え付けなければ、運行の用に供してはならない。

4. 初めて自動車検査証の交付を受ける乗車定員5人の旅客を運送する自動車運送事業の用に供する自動車については、当該自動車検査証の有効期間は1年である。

② 自動車は、指定自動車整備事業者が継続検査の際に交付した有効な保安基準適合標章を表示している場合であっても、自動車検査証を備え付けなければ、運行の用に供してはならない。

③ 乗車定員5人の旅客を運送する自動車運送事業の用に供する自動車については、初めて自動車検査証の交付を受ける際の当該自動車検査証の有効期間は2年である。

④ 自動車の使用者は、自動車の長さ、幅又は高さを変更したときは、道路運送車両法で定める場合を除き、その事由があった日から15日以内に、当該変更について、国土交通大臣が行う自動車検査証の変更記録を受けなければならない。

─〈 過去問にチャレンジ！ 〉解答 〉─

① 　1 と 4

1.　〇　車両法第 59 条（新規検査）、第 62 条（継続検査）、第 63 条（臨時検査）、第 67 条（構造等変更検査）、第 71 条（予備検査）から正しい。

2.　×　自動車検査証の有効期間が満了する日の 1 ヵ月前（離島に使用の本拠の位置を有する自動車を除く）から当該期間が満了する日までの間に継続検査を行い、当該自動車検査証に係る有効期間を記録する場合、自動車検査証の有効期間の起算日は、当該自動車検査証の**有効期間が満了する日**の「**翌日**」である（車両法施行規則第 44 条第 1 項）。本肢は、自動車検査証の有効期間が満了する日の「2 ヵ月前」とする点で誤っている。

3.　×　自動車検査証を備え付けなければならない場所は当該**自動車のみ**であり、当該自動車の所属する営業所は**含まれない**（車両法第 66 条第 1 項）。

4.　〇　自動車検査証の有効期間は、旅客を運送する自動車運送事業の用に供する自動車、貨物の運送の用に供する自動車及び国土交通省令で定める自家用自動車であって、検査対象軽自動車以外のものにあっては 1 年、その他の自動車にあっては 2 年である（車両法第 61 条第 1 項）。本肢の「乗車定員 5 人の旅客を運送する自動車運送事業の用に供する自動車」は、旅客を運送する自動車運送事業の用に供する自動車なので、自動車検査証の有効期間は 1 年となる。

② 　×　原則として、自動車検査証を備え付けなければ、自動車を運行の用に供してはならない。しかし、指定自動車整備事業者（いわゆる民間車検場）が交付した有効な保安基準適合標章を表示しているときは、自動車検査証を備え付けていなくても、自動車を運行の用に供することができる（車両法第 94 条の 5 第 11 項）。

③ 　×　自動車検査証の有効期間は、旅客を運送する自動車運送事業の用に供する自動車、貨物の運送の用に供する自動車及び国土交通省令で定める自家用自動車であって、検査対象軽自動車以外のものにあっては 1 年、その他の自動車にあっては 2 年である（車両法第 61 条第 1 項）。本肢の「乗車定員 5 人の旅客を運送する自動車運送事業の用に供する自動車」は、旅客を運送する自動車運送事業の用に供する自動車なので、自動車検査証の有効期間は 1 年となる。

④ 　〇　車両法第 67 条第 1 項及び同法施行規則第 35 条の 3 第 1 項第 6 号により正しい。

4

自動車検査証

⑤ 登録自動車の使用者は、当該自動車が滅失し、解体し（整備又は改造のために解体する場合を除く。）、又は自動車の用途を廃止したときは、その事由があった日（使用済自動車の解体である場合には解体報告記録がなされたことを知った日）から 15 日以内に、当該自動車検査証を国土交通大臣に返納しなければならない。

⑥ 自動車の使用者は、自動車検査証又は検査標章が滅失し、き損し、又はその識別が困難となった場合には、その再交付を受けることができる。

⑦ 検査標章は、自動車検査証がその効力を失ったとき、又は継続検査、臨時検査若しくは構造等変更検査の結果、当該自動車検査証の返付を受けることができなかったときは、当該自動車に表示してはならない。

⑧ 自動車に表示されている検査標章には、当該自動車の自動車検査証の有効期間の満了する時期が表示されている。

⑨ 自動車の使用者は、継続検査を申請する場合において、道路運送車両法第 67 条（自動車検査証記録事項の変更及び構造等変更検査）の規定による自動車検査証の変更記録の申請をすべき事由があるときは、あらかじめ、その申請をしなければならない。

⑩ 国土交通大臣は、継続検査の結果、自動車が道路運送車両の保安基準に適合しないと認めるときは、当該自動車の自動車検査証を使用者に返付しないものとする。

⑪ 何人も、国土交通大臣の行う検査を受け、有効な自動車検査証の交付を受けている自動車について、自動車又はその部分の改造、装置の取付け又は取り外しその他これらに類する行為であって、当該自動車が道路運送車両の保安基準に適合しないこととなるものを行ってはならない。

《過去問にチャレンジ！》解答

⑤　○　車両法第 69 条第 1 項第 1 号により正しい。

⑥　○　車両法第 70 条により正しい。

⑦　○　車両法第 66 条第 5 項により正しい。

⑧　○　車両法第 66 条第 3 項により正しい。

⑨　○　車両法第 62 条第 5 項により正しい。

⑩　○　車両法第 62 条第 2 項により正しい。

⑪　○　車両法第 99 条の 2 により正しい。

 ちょこっとアドバイス!!

自動車の検査は、ここで紹介した知識のいずれかが毎回必ず出題される頻出テーマだ。覚えるべき知識も多いので、問題は多めに紹介しておく。なお、このテーマに限る話ではないが、令和に入ってからは全般的に「**穴埋め問題**」が**増えている**ので、次ページの問題も解けるようにしておこう。

⑫ 道路運送車両法に定める検査等についての次の文中、A、B、C、D に入るべき字句を下の枠内の選択肢（①～⑥）から選びなさい。

1. 登録を受けていない道路運送車両法第 4 条に規定する自動車又は同法第 60 条第 1 項の規定による車両番号の指定を受けていない検査対象軽自動車若しくは二輪の小型自動車を運行の用に供しようとするときは、当該自動車の使用者は、当該自動車を提示して、国土交通大臣の行う [A] を受けなければならない。

2. 登録自動車又は車両番号の指定を受けた検査対象軽自動車若しくは二輪の小型自動車の使用者は、自動車検査証の有効期間の満了後も当該自動車を使用しようとするときは、当該自動車を提示して、国土交通大臣の行う [B] を受けなければならない。この場合において、当該自動車の使用者は、当該自動車検査証を国土交通大臣に提出しなければならない。

3. 自動車の使用者は、自動車検査証記録事項について変更があったときは、法令で定める場合を除き、その事由があった日から [C] 以内に、当該変更について、国土交通大臣が行う自動車検査証の変更記録を受けなければならない。

4. 国土交通大臣は、一定の地域に使用の本拠の位置を有する自動車の使用者が、天災その他やむを得ない事由により、[D] を受けることができないと認めるときは、当該地域に使用の本拠の位置を有する自動車の自動車検査証の有効期間を、期間を定めて伸長する旨を公示することができる。

①	新規検査	②	継続検査	③	構造等変更検査
④	予備検査	⑤	15 日	⑥	30 日

・・

答

⑫ **A：①新規検査　B：②継続検査　C：⑤ 15 日　D：②継続検査**

　ここまでの解説を踏まえていれば、難しい問題ではないであろう。選択肢 1（空欄 A）と 2（空欄 B）については、見慣れない問題文が出てくるので悩んだ人がいるかもしれないが、**選択肢 1（空欄 A）は「登録を受けていない」というキーワードから①新規検査を、選択肢 2（空欄 B）は「自動車検査証の有効期間の満了後も当該自動車を使用しようとするとき」というキーワードから②継続検査を導い**てほしい。

ROAD 5

点検・整備

重要度 ★★★

合格への道　点検・整備も重要項目の1つであり、その中でも特に重要なのが日常点検整備である。点検・整備は穴埋め問題で出題されることが多いので、できるだけ赤字部分は覚えておきたい。

CHECK □　1　使用者の点検及び整備の義務（車両法第47条）

　自動車の使用者は、自動車の点検をし、及び必要に応じ整備をすることにより、当該自動車を保安基準に適合するように維持しなければならない。

　本条は、点検整備の原則的な規定である。下記の「日常点検整備」でも同じような規定があるが、「日常点検整備」は1日1回の点検等が義務付けられているところ、本条は特に点検整備の実施時期を規定していない。

　つまり、本条では使用者に対し、常に「保安基準に適合するように維持」しておくべき義務を規定している。

CHECK □　2　日常点検整備（車両法第47条の2）

　事業用自動車の使用者又はその自動車を運行する者は、1日1回、その運行の開始前に、灯火装置の点灯、制動装置の作動その他の日常的に点検すべき事項について、目視等により点検しなければならない。

　点検の結果、当該自動車が保安基準に適合しなくなるおそれがある状態又は適合しない状態にあるときは、使用者は、保安基準に適合しなくなるおそれをなくするため、又は保安基準に適合させるために当該自動車について必要な整備をしなければならない。

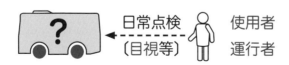

ポイント　〈穴埋め問題での出題が多数！〉
　日常点検整備については近年、穴埋め問題が多数出題されている。
上記の赤字部分はしっかり押さえておこう！

次に、**日常点検**について、**具体的に何を点検すべきか**という点については、自動車点検基準という省令により定められており、ここも出題される。次ページに点検箇所の一覧表があるが、まずは学習のポイントを紹介しよう。

具体的な点検箇所のポイント

◆日常点検の点検箇所には、原則どおり、**1日1回点検すべきもの**と、走行距離や運行時の状態等から**適切な時期に点検を行えばよいもの**がある。

◆そこで、まずは**適切な時期に点検を行えばよいもの**を覚える。

覚え方のポイント

①**ブレーキ**について、**適切な時期でよいものはない。**
②**タイヤ**については、溝の深さが十分であることのみ、**適切な時期でよい。**
③**バッテリ**の点検箇所は、液量が適当であることのみ、**適切な時期でよい。**
④**原動機**については、すべて**適切な時期でよい。**
⑤**灯火装置及び方向指示器**について、**適切な時期でよいものはない。**

 ちょこっとアドバイス!!

このような覚え方をするのは、試験では「**適切な時期に点検を行えばよいとされているもの**」はどれか？…という形で出題されることが多いためだ。ただし、将来的には別の形で出題される可能性もあることから、次ページでは、参考までにすべての事項を表にまとめておく。なお、「ウインド・ウォッシャ及びワイパー」については、あまり出題されていないので、余力があれば覚える程度でよいだろう。

■ 日常点検における点検箇所及び内容 ■

点検箇所	点検内容
ブレーキ	・ブレーキ・ペダルの踏みしろが適当で、ブレーキの効きが十分であること ・ブレーキの液量が適当であること ・空気圧力の上がり具合が不良でないこと ・ブレーキ・ペダルを踏み込んで放した場合にブレーキ・バルブからの排気音が正常であること ・駐車ブレーキ・レバーの引きしろが適当であること
タイヤ	・タイヤの空気圧が適当であること ・亀裂及び損傷がないこと ・異状な摩耗がないこと ・（＊1）**溝の深さ**が十分であること ・（＊2）**ディスク・ホイールの取付状態**が不良でないこと
バッテリ	・（＊1）**液量**が適当であること
原動機	・（＊1）**冷却水の量**が適当であること ・（＊1）**ファン・ベルトの張り具合**が適当であり、かつ、**ファン・ベルト**に**損傷**がないこと ・（＊1）**エンジン・オイルの量**が適当であること ・（＊1）原動機の**かかり具合**が不良でなく、かつ、**異音**がないこと ・（＊1）**低速**及び**加速**の状態が適当であること
灯火装置及び方向指示器	・点灯又は点滅具合が不良でなく、かつ、汚れ及び損傷がないこと
ウインド・ウォッシャ及びワイパー	・（＊1）**ウインド・ウォッシャの液量**が適当であり、かつ、**噴射状態**が不良でないこと ・（＊1）ワイパーの**払拭状態**が不良でないこと
エア・タンク	・エア・タンクに凝水がないこと
運行において異状が認められた箇所	・当該箇所に異状がないこと

（＊1）は、当該自動車の走行距離、運行時の状態等から判断した**適切な時期**に行うことで足りる。
（＊2）は、車両総重量 8 トン以上又は乗車定員 30 人以上の自動車に限る。

3　定期点検整備（車両法第 48 条、自動車点検基準別表第 3）

　自動車運送事業の用に供する自動車の**使用者**は、**3 ヵ月ごと**に、国土交通省令で定める技術上の基準により、**自動車を点検**しなければならない。

　そして、点検の結果、当該自動車が保安基準に適合しなくなるおそれがある状態又は適合しない状態にあるときは、使用者は、保安基準に適合しなくなるおそれをなくするため、又は保安基準に適合させるために当該自動車について必要な**整備**をしなければならない。

　なお、**定期点検の点検内容**について出題されることはほぼないが、過去の出題例としては、**車両総重量 8 トン以上又は乗車定員 30 人以上**の自動車について、**スペアタイヤの取付状態**等がある。その他、気になる受験生は自動車点検基準の別表第 3 に規定されているので、試験前に一読しておこう。

4　点検整備記録簿（車両法第 49 条）

　自動車の**使用者**は、点検整備記録簿を当該自動車に備え置かなければならない。また、使用者は、当該自動車について定期点検整備をしたときは、遅滞なく、点検整備記録簿に点検の結果、整備の概要等所定の事項を記載し、これを記載した日から **1 年間保存**しなければならない。

5　整備管理者の選任（車両法第 50 条、第 52 条、同法施行規則第 32 条）

　自動車の**使用者**は、**車両総重量 8 トン以上の自動車**その他の**国土交通省令で定める台数以上**のものの使用の本拠ごとに、自動車の点検・整備に関する実務の経験その他について国土交通省令で定める一定の要件を備える者のうちから、**整備管理者を選任**しなければならない。

　また、その職務の執行に必要な権限を与えなければならないが、ここで重要なことは、**点検の結果、運行の可否を決定**するのは整備管理者であるということである。なお、この定めにより整備管理者を選任しなければならない者を、「大型自動車使用者等」という。

　そして、大型自動車使用者等は、整備管理者を選任したときは、その日から **15 日以内**に、地方運輸局長にその旨を届け出なければならない。これを変更したときも同様である。

ちょこっとアドバイス!!

「点検」の結果に基づき、運行の可否を決定する者は「整備管理者」である点はよく出題されるため、注意しておこう！

これは第 1 章の「運送法」の分野において、点呼において、運転者が疾病、疲労、睡眠不足等により安全な運転をすることができないおそれがある場合に「運行管理者」が運行の可否を決定することとされている知識とのヒッカケ問題といえる。

5
点検・整備

CHECK **6 整備管理者の解任命令（車両法第 53 条）**

地方運輸局長は、整備管理者が車両法若しくは同法に基づく命令又はこれらに基づく処分に違反したときは、大型自動車使用者等に対し、整備管理者の**解任**を命ずることができる。

CHECK **7 整備命令等（車両法第 54 条）**

地方運輸局長は、**自動車が保安基準に適合しなくなるおそれがある状態又は適合しない状態**にあるとき（車両法第 54 条の 2 第 1 項に規定される下記の使用停止命令の場合を除く）は、当該自動車の**使用者**に対し、保安基準に**適合しなくなるおそれをなくすため、又は保安基準に適合させるために必要な整備**を行うべきことを命ずることができる。

この場合において、**地方運輸局長は、保安基準に適合しない状態にある当該自動車の使用者**に対し、当該自動車が**保安基準に適合するに至るまでの間**の運行に関し、**当該自動車の使用の方法又は経路の制限**その他の**保安上又は公害防止その他の環境保全上必要な指示**をすることができる。

さらに、自動車の使用者が上記の命令等に従わない場合で、当該自動車が**保安基準に適合しない状態**にあるときは、**当該自動車の使用を停止**することができる。

> 🚌 **ポイント** 〈まれに穴埋め問題での出題あり〉
> 上記の整備命令等についても、穴埋め問題が出題されることがある。この項目で紹介した知識については、赤字部分を押さえておきたい。

1 道路運送車両法に定める自動車の日常点検に関する次の文中、A・B・C・Dに入るべき字句の組合せとして、正しいものはどれか。

　自動車運送事業の用に供する自動車の使用者又はこれを　A　は、1日1回、その運行の　B　において、　C　定める技術上の基準により、灯火装置の点灯、制動装置の作動その他の日常的に点検すべき事項について、　D　自動車を点検しなければならない。

	A	B	C	D
1.	運行する者	開始前	国土交通省令で	目視等により
2.	管理する者	終了後	国土交通省令で	点検表に基づき
3.	運行する者	開始前	自動車製作者が	点検表に基づき
4.	管理する者	終了後	自動車製作者が	目視等により

2 事業用自動車の日常点検基準に関する次の記述のうち、走行距離、運行時の状態等から判断した適切な時期に点検を行うことで足りるものはどれか。

1. ブレーキ・ペダルの踏みしろが適当で、ブレーキの効きが十分であること。
2. タイヤの溝の深さが十分であること。
3. タイヤの空気圧が適当であること。
4. 灯火装置及び方向指示器の点灯又は点滅具合が不良でなく、かつ、汚れ及び損傷がないこと。

3 事業用自動車の定期点検整備は、国土交通省令で定める技術上の基準により1ヵ月、3ヵ月、12ヵ月ごとに行わなければならない。

4 事業用自動車の使用者は、当該自動車について定期点検整備をしたときは、遅滞なく、点検整備記録簿に点検の結果、整備の概要等所定事項を記載して当該自動車に備え置き、その記載の日から1年間保存しなければならない。

5 自動車運送事業の用に供する自動車の日常点検の結果に基づく運行可否の決定は、自動車の使用者より与えられた権限に基づき、運行管理者が行わなければならない。

─《 過去問にチャレンジ！ 》解答 ─

① 1　日常点検を行う者は自動車の「使用者又はこれを運行する者」であること、点検時期は運行の「開始前」であること、点検方法は「国土交通省令で」定める技術上の基準により、「目視等」によるべきことから、1 が正解である。

 ちょこっとアドバイス!!

他の穴埋め問題では、「国土交通省令で」定める「技術上の基準」という部分が、「安全上の基準」と変えられて出題されたこともあるので、「技術上の基準」という部分についても、意識をもっておこう！

② 2　事業用自動車の日常点検は、1 日 1 回、その運行開始前に行うのが原則であるが、「タイヤの溝の深さが十分であること」は例外的に適切な時期に行えばよいとされている。

 ちょこっとアドバイス!!

すべての事項に日々点検を行うことは理想的だが、よほどのことがない限り、「タイヤの溝」が突然に減ることは例外的であろう。一方、他の選択肢の内容は、日々点検しておきたい事項である。

③ ✕　定期点検の実施時期は 3 ヵ月である。1 ヵ月又は 12 ヵ月ごとに行うという決まりはない。

④ ◯　定期点検整備の点検整備記録簿の保存期間は、1 年である。

⑤ ✕　点検結果に基づく運行可否の決定は、自動車の使用者より与えられた権限に基づき、整備管理者が行わなければならないのであり（車両法第 50 条第 2 項、同法施行規則第 32 条第 1 項第 2 号）、運行管理者ではない。

6 道路運送車両法に定める自動車の点検整備等に関する次の文中、A、B、C、D に入るべき字句として、いずれか正しいものを選びなさい。

1. 自動車運送事業の用に供する自動車の使用者又は当該自動車を運行する者は、　A　、その運行の開始前において、国土交通省令で定める技術上の基準により、自動車を点検しなければならない。

2. 車両総重量 8 トン以上又は乗車定員 30 人以上の自動車の使用者は、スペアタイヤの取付状態等について、　B　ごとに国土交通省令で定める技術上の基準により自動車を点検しなければならない。

3. 自動車の使用者は、自動車の点検及び整備等に関する事項を処理させるため、車両総重量 8 トン以上の自動車その他の国土交通省令で定める自動車であって国土交通省令で定める台数以上のものの使用の本拠ごとに、自動車の点検及び整備に関する実務の経験その他について国土交通省令で定める一定の要件を備える者のうちから、　C　を選任しなければならない。

4. 地方運輸局長は、自動車の　D　が道路運送車両法第 54 条（整備命令等）の規定による命令又は指示に従わない場合において、当該自動車が道路運送車両の保安基準に適合しない状態にあるときは、当該自動車の使用を停止することができる。

A ①1日1回　　②必要に応じて　　B ①3ヵ月　　②6ヵ月
C ①安全統括管理者　②整備管理者　　D ①所有者　　②使用者

7 道路運送車両法に定める自動車の点検整備等に関する次のア、イ、ウの文中、A、B、C、D に入るべき字句としていずれか正しいものを 1 つ選びなさい。

ア 自動車の　A　は、自動車の点検をし、及び必要に応じ整備をすることにより、当該自動車を道路運送車両の保安基準に適合するように維持しなければならない。

イ 自動車運送事業の用に供する自動車の使用者又は当該自動車を　B　する者は、　C　、その運行の開始前において、国土交通省令で定める技術上の基準により、自動車を点検しなければならない。

ウ 自動車運送事業の用に供する自動車の使用者は、　D　ごとに国土交通省令で定める技術上の基準により、自動車を点検しなければならない。

A 1. 所有者　　2. 使用者　　B 1. 運行　　　2. 管理
C 1. 必要に応じて　2. 1日1回　　D 1. 3ヵ月　　2. 6ヵ月

6　**A：①　B：①　C：②　D：②**

1. 自動車の**使用者**又は自動車を**運行する者**は、1 日 1 回、その運行の開始前において、国土交通省令で定める技術上の基準により、自動車を点検しなければならない（車両法第 47 条の 2 第 1 項及び第 2 項）。

2. 自動車運送事業の用に供する自動車の使用者は、**3 ヵ月**ごとに、国土交通省令で定める技術上の基準により自動車を点検しなければならない（車両法第 48 条第 1 項第 1 号）。これは**定期点検整備**の話である。

3. 自動車の使用者は、自動車の点検及び整備並びに自動車車庫の管理に関する事項を処理させるため、車両総重量 8 トン以上の自動車その他の国土交通省令で定める自動車であって国土交通省令で定める台数以上のものの使用の本拠ごとに、自動車の点検及び整備に関する実務の経験その他について国土交通省令で定める一定の要件を備える者のうちから、**整備管理者**を選任しなければならない（車両法第 50 条第 1 項）。

4. 地方運輸局長は、自動車の**使用者**が車両法第 54 条（整備命令等）の規定による命令又は指示に従わない場合で、当該自動車が保安基準に適合しない状態にあるとき、当該自動車の**使用を停止**できる（車両法第 54 条第 2 項）。なお、地方運輸局長は、自動車の**使用者**に対して、使用停止命令の前に、**使用の方法や経路の制限**等の指示を行うことができ、この指示に従わない場合、**使用の停止**ができる。問題文に「従わない場合」とあるときは、**使用の停止**の話と考えよう。

7　**A：2　B：1　C：2　D：1**

ア　自動車の**使用者**は、自動車の点検をし、及び必要に応じ整備をすることにより、当該自動車を保安基準に適合するように維持しなければならない。これは点検・整備に関する原則的な規定である車両法第 47 条の話である。したがって、A には「2. 使用者」が入る。

イ　自動車運送事業の用に供する自動車の**使用者**又は当該自動車を**運行する者**は、1 日 1 回、その運行の開始前において、国土交通省令で定める技術上の基準により、自動車を点検しなければならない。これは**日常点検整備**の話である（車両法第 47 条の 2 第 2 項）。したがって、B には「1. 運行」、C には「2. 1 日 1 回」が入る。

ウ　自動車運送事業の用に供する自動車の使用者は、**3 ヵ月**ごとに国土交通省令で定める技術上の基準により、自動車を点検しなければならない。これは**定期点検整備**の話である（車両法第 48 条第 1 項第 1 号）。したがって、D には「1. 3 ヵ月」が入る。

5

点検・整備

ROAD 6 保安基準

重要度 ▲▲▲

合格への道　保安基準も毎回出題されている最重要項目である。近年は各規定の内容がまんべんなく問われているので、赤字部分はコツコツと覚えておこう。逆にいえば、それで対応できるぞ。

^{CHECK}
□ **1 保安基準の原則（車両法第46条、第47条）**

　自動車の構造及び自動車の装置等に関する保安上又は公害防止その他の環境保全上の技術基準（保安基準）は、**道路運送車両の構造及び装置が、運行に十分堪える**ことができ、また、**操縦その他の使用のための作業に安全である**とともに、**通行人その他に危害を与えない**ことを確保するものでなければならず、かつ、これにより製作者又は使用者に対し、**自動車の製作又は使用について不当な制限を課する**こととなるものであってはならない。

　また、自動車の**使用者**は、自動車の**点検**をし、及び必要に応じ整備をすることで、自動車を**保安基準に適合するように**維持しなければならない。

点検、整備は
バッチリだ！

カンペキ！

使用者

補足　保安基準第1条には、保安基準で使われる用語の定義が規定されている。この点、同条第1項第6号の「**空車状態**」は、道路運送車両に燃料、潤滑油等が搭載され、必要な設備を設ける等、運行に必要な装備をした状態をいう。これは出題されたことがあり、語感と異なる部分なので押さえておこう。

^{CHECK}□ 2　自動車の構造、長さ、幅及び高さ（車両法第 40 条、保安基準第 2 条）

　自動車は、その構造が、**長さ、幅及び高さ**並びに**車両総重量**（車両重量、最大積載量及び 55 キログラムに乗車定員を乗じて得た重量の総和をいう）など、車両法に定める事項について、**国土交通省令で定める保安上又は公害防止その他の環境保全上の技術基準に適合するものでなければ、運行の用に供してはならない。**

　自動車の長さ、幅及び高さには、次の制限がある。

・長さ
　→ 12 メートルまで（セミトレーラにあっては、連結装置中心から当該セミトレーラの後端までの水平距離。セミトレーラのうち告示で定めるものは 13 メートルまで可能）
・幅
　→ 2.5 メートルまで
・高さ
　→ 3.8 メートルまで

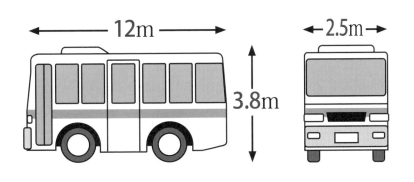

 ゴロ　自動車を自由に（12m）、さわ（3.8m）って、ニッコニコ（2.5m）。

 数字をテンポよく覚えよう！

3　軸重（保安基準第 4 条の 2）

　1 本の車軸にかかる重さを**軸重**というが、自動車の軸重は **10 トン**（牽引自動車のうち、告示で定めるものは **11.5 トン**）を超えてはならない。

　また、1 つの車輪にかかる重さを**輪荷重**というが、自動車の輪荷重は **5 トン**を超えてはならない（牽引自動車のうち、告示で定めるものは 5.75 トンまで可能）。

じっくりジュージュー（軸重・10 トン）焼いて、
果汁もごっくり（輪荷重・5 トン）。

4　走行装置等（保安基準第 9 条、細目告示第 89 条第 4 項）

　自動車（二輪自動車等を除く）の空気入ゴムタイヤの接地部は、**滑り止めを施したもの**であり、**滑り止めの溝**は、空気入ゴムタイヤの接地部の全幅にわたり滑り止めのために施されている凹部（サイピング、プラットフォーム及びウエア・インジケータの部分を除く）のいずれの部分においても **1.6mm以上の深さを有するもの**でなければならない。

5　乗車装置（保安基準第 20 条）

　自動車の**乗車装置**は、乗車人員が動揺、衝撃等により転落又は転倒することなく安全な乗車を確保できるものとして、**構造に関し告示で定める基準に適合するもの**でなければならない。

6　非常口（保安基準第 26 条第 1 項、第 2 項）

　幼児専用車及び**乗車定員 30 人以上の自動車**（緊急自動車を除く）には、非常時に容易に脱出できるものとして、設置位置、大きさ等に関し**告示で定める基準に適合する非常口**を設けなければならない。

　ただし、すべての座席が乗降口から直接着席できる自動車にあっては、この限りではない。

　なお、**非常口を設けた自動車**には、非常口又はその附近に、見やすいように、**非常口の位置及びとびらの開放の方法が表示**されていなければならない。この場合、灯火により非常口の位置を表示するときは、その**灯光の色は、緑色**でなければならない。

CHECK
□ **7　消火器（保安基準第 47 条）**

　幼児専用車や乗車定員 11 人以上の自動車などには、消火器を備えなければ
ならない。前ページの「非常口」は、乗車定員 30 人以上である点に注意だ。

CHECK
□ **8　窓ガラス（保安基準第 29 条、細目告示第 195 条第 3 項）**

　自動車の**前面ガラス及び側面ガラス**（告示で定める部分を除く）に**フィル
ムを貼り付ける場合**、フィルムが貼り付けられた状態において、**次の 2 つの
基準を満たすもの**でなければならない。

> **窓ガラスに貼り付けるフィルムの基準**
>
> ①**透明であること**
> ②運転者が交通状況を確認するために必要な視野の範囲に係る部分におけ
> 　る可視光線の透過率が **70％以上であること**

　また、自動車（被牽引自動車を除く）の前面ガラス及び側面ガラスには、
保安基準第 29 条に規定されたもの（整備命令標章、検査標章、保安基準適合
標章など）以外のものが装着され、**貼り付けられ、塗装され、又は刻印され
ていてはならない**。

CHECK
□ **9　灯火と照灯（細目告示第 62 条等）**

　自動車には、一定の場合を除いて、点滅する灯火又は光度が増減する灯火（色
度が変化することにより視感度が変化する灯火を含む）を備えてはならない。
　これら**点滅等をする灯火が許される場合**として、**方向指示器**（いわゆるウ
インカー）や**非常点滅表示灯**（いわゆるハザードランプ）があり、その他、
**路線を定めて定期に運行する一般乗合旅客自動車運送事業用自動車に備える
旅客が乗降中であることを後方に表示する電光表示器**には、点滅する灯火又
は光度が増減する灯火を**備えることができる**。
　また、自動車には、一定の場合を除いて、灯光の色が**赤色**である灯火を備
えてはならない。
　ただし、方向指示器や非常点滅表示灯、また、**旅客自動車運送事業用自動
車の非常灯**（事故等で停電した際の照明）**が許される**ことは押さえておこう。

さらに、自動車には、**一定の場合を除いて**、後方に表示する灯光が白色である灯火を備えてはならない。

ただし、**一般乗用旅客自動車運送事業用自動車**には、後方に表示する灯光の色が白色である社名表示灯を備えることができる。

 ちょこっとアドバイス!!

一口に灯火と照灯と言っても様々な種類や色があり、保安基準やその細目告示はそれらに対して細かく規定している。例えば、いわゆるヘッドランプ（ロービームの状態）は白色でなければならず、夜間に 40 メートルの距離から認識できるものでなければならない、といったものだ。

これら**灯火や照灯についての規定の数は多く、それらすべてを把握しようとするのは**、それらに関する問題が出題されても選択肢 1 ～ 2 つであることからも**試験対策上、得策ではない**。車両法に限らず、他に覚えておくべき知識はたくさんあるからだ。

よって、ここでは特によく出る知識だけを紹介するので、ここで紹介する知識だけは押さえて試験に臨もう。

CHECK ☐ 10 後部反射器（保安基準第 38 条、細目告示第 210 条）

自動車の後面には、夜間にその後方 150 メートルの距離から走行用前照灯で照射した場合に、その反射光を照射位置から確認できる赤色の後部反射器を備えなければならない。

CHECK ☐ 11 警音器（保安基準第 43 条、細目告示第 141 条）

自動車（被牽引自動車を除く）には、警音器（いわゆるクラクションやサイレン）を備えなければならず、警音器の警報音発生装置の音が、連続するものであり、かつ、音の大きさ及び音色が一定なものでなければならない。

CHECK ☐ 12 方向指示器（保安基準第 41 条）

方向指示器（ウインカー）は、自動車が右左折又は進路の変更をすることを他の交通に示すことができ、かつ、その照射光線が他の交通を妨げないものとして、灯光の色、明るさ等に関し**告示で定める基準に適合するものでなければならない**。

方向指示器は、**毎分 60 回以上 120 回以下の一定の周期で点滅する**ものでなければならない。

CHECK ☐ 13　非常点滅表示灯（保安基準第 41 条の 3、細目告示第 217 条）

非常点滅表示灯は、**盗難、車内における事故その他の緊急事態が発生している**ことを表示するための灯火として作動する。

その場合、方向指示器の点滅回数の基準に**適合しない構造**とすることができる。つまり、上記の周期以外の点滅回数のものでもよい、ということである。

6

保安基準

CHECK ☐ 14　非常信号用具（保安基準第 43 条の 2、細目告示第 64 条）

自動車（**二輪自動車、特殊自動車、被牽引自動車を除く**）には、非常時に灯光を発することにより他の交通に警告することができ、かつ、安全な運行を妨げないものとして、**非常信号用具を備えなければならない**。

これは、**夜間 200 メートルの距離から確認できる赤色の灯光を発するもの**（自発光式）でなければならない。

CHECK ☐ 15　停止表示器材（保安基準第 43 条の 4、細目告示第 222 条）

停止表示器材は、夜間 200 メートルの距離から走行用前照灯で照射した場合にその反射光を**照射位置から確認できるもの**など告示で定める基準に適合するものでなければならない。

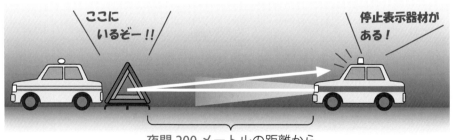

ここに
いるぞー!!

停止表示器材が
ある!

夜間 200 メートルの距離から、
確認できるものであること

ゴロ

非常（非常信号用具）に、低姿勢（停止表示器材）な
200 個のやかん（夜間 200m）。

16　後写鏡（保安基準第 44 条、細目告示第 146 条）

　自動車（被牽引自動車を除く）には、後写鏡を備えなければならない。

　後写鏡は、取付部付近の自動車の最外側より突出している部分の最下部が地上 1.8 メートル以下のものは、当該部分が歩行者等に接触した場合に衝撃を緩衝できる構造でなければならない。

17　乗車定員（保安基準第 53 条）

　自動車の乗車定員は、12 歳以上の者の数をもって表される。12 歳以上の者1 人は、12 歳未満の小児又は幼児 1.5 人に相当する。

　住人（12 歳以上）、いちいち（11 歳以下）、囲碁（1.5 人相当）を打つ。

――――――――――（ 過去問にチャレンジ！ ） 問題 ――――――――――

① 　自動車の軸重は、10 トン（牽引自動車のうち告示で定めるものにあっては、11.5 トン）を超えてはならない。

② 　自動車（二輪自動車等を除く。）の空気入ゴムタイヤの接地部は滑り止めを施したものであり、滑り止めの溝は、空気入ゴムタイヤの接地部の全幅にわたり滑り止めのために施されている凹部（サイピング、プラットフォーム及びウエア・インジケータの部分を除く。）のいずれの部分においても 1.4mm 以上の深さを有すること。

③ 　自動車の前面ガラス及び側面ガラス（告示で定める部分を除く。）は、フィルムが貼り付けられた場合、当該フィルムが貼り付けられた状態において、透明であり、かつ、運転者が交通状況を確認するために必要な視野の範囲に係る部分における可視光線の透過率が 60％以上であることが確保できるものでなければならない。

④ 　自動車に備えなければならない非常信号用具は、夜間 100 メートルの距離から確認できる赤色の灯光を発するものでなければならない。

18　道路維持作業用自動車（保安基準第 49 条の 2、細目告示第 232 条）

　道路維持作業用自動車とは、路面清掃車等の道路の維持、修繕、道路標示を設置するための必要な装置を有する自動車である。

　この道路維持作業用自動車は、自らが道路維持作業用自動車であることを他に示すことができるものとして、告示で定める基準に適合する灯火を車体の上部の見やすい位置に備えなければならないが、**黄色で点滅式の灯火を備えることができるのは、この道路維持作業用自動車のみである。**

　なお、保安基準第 1 条では、消防**自動車**、警察**自動車**、保存**血液**の緊急輸送のための**自動車**、救急**自動車**、国土交通大臣が定める**その他の緊急の用に供する自動車**を「**緊急自動車**」と定義している。

過去問にチャレンジ！　解答

① ○　保安基準第 4 条の 2 第 1 項のとおりである。

② ×　滑り止めのために施されている凹部の深さは、**1.6mm 以上**の深さが必要である。1.4mm 以上では**ない。**

③ ×　**可視光線の透過率は「70% 以上」**であることが確保できるものでなければならない。

④ ×　非常信号用具の認識距離は、**夜間「200 メートル」**である。

⑤ 幼児専用車及び乗車定員 11 人以上の自動車（緊急自動車を除く。）には、非常時に容易に脱出できるものとして、設置位置、大きさ等に関し告示で定める基準に適合する非常口を設けなければならない。ただし、すべての座席が乗降口から直接着席できる自動車にあっては、この限りでない。

⑥ 乗車定員 11 人以上の自動車及び幼児専用車には、消火器を備えなければならない。

⑦ 自動車は、告示で定める方法により測定した場合において、長さ（セミトレーラにあっては、連結装置中心から当該セミトレーラの後端までの水平距離）12 メートル（セミトレーラのうち告示で定めるものにあっては、13 メートル）、幅 2.5 メートル、高さ 3.8 メートルを超えてはならない。

⑧ 自動車の後面には、夜間にその後方 150 メートルの距離から走行用前照灯で照射した場合にその反射光を照射位置から確認できる赤色の後部反射器を備えなければならない。

⑨ 路線を定めて定期に運行する一般乗合旅客自動車運送事業用自動車に備える旅客が乗降中であることを後方に表示する電光表示器には、点滅する灯火又は光度が増減する灯火を備えることができる。

⑩ 自動車に備えなければならない後写鏡は、取付部付近の自動車の最外側より突出している部分の最下部が地上 2.0 メートル以下のものは、当該部分が歩行者等に接触した場合に衝撃を緩衝できる構造でなければならない。

⑪ もっぱら小学校、中学校、幼稚園等に通う児童、生徒又は幼児の運送を目的とする自動車（乗車定員 11 人以上のものに限る。）の車体の前面、後面及び両側面には、告示で定めるところにより、これらの者の運送を目的とする自動車である旨の表示をしなければならない。

⑫ 自動車（被けん引自動車を除く。）には、警音器の警報音発生装置の音が、連続するものであり、かつ、音の大きさ及び音色が一定なものである警音器を備えなければならない。

⑬ 非常点滅表示灯は、盗難、車内における事故その他の緊急事態が発生していることを表示するための灯火として作動する場合においても、点滅回数の基準に適合する構造としなければならない。

◖過去問にチャレンジ！◗解答

➤ ⑤　×　告示で定める基準に適合する非常口を設けなければならないのは、**幼児専用車及び乗車定員** 30 人以上の自動車（緊急自動車を除く）であり、乗車定員 11 人以上の自動車ではない。なお、後半は正しい。

➤ ⑥　○　**保安基準第** 47 **条第** 1 **項により正しい。**上記の「非常口」の知識と、この「消火器」の知識はセットで覚えておこう。

➤ ⑦　○　**保安基準第** 2 **条第** 1 **項により正しい。**

➤ ⑧　○　**保安基準第** 38 **条及び細目告示第** 210 **条により正しい。**

➤ ⑨　○　**細目告示第** 62 **条第** 6 **項第** 17 **号により正しい。**

➤ ⑩　×　後写鏡は取付部付近の自動車の最外側より突出している部分の最下部が地上 **1.8 メートル以下**のものは、当該部分が歩行者等に接触した場合に衝撃を緩衝できる構造でなければならない（細目告示第 146 条）。

➤ ⑪　○　**保安基準第** 18 **条第** 9 **項により正しい。**なお、本問の知識は触れていなかったが、ここで確認しておいてほしい。

➤ ⑫　○　**保安基準第** 43 **条第** 2 **項及び細目告示第** 141 **条第** 1 **項により正しい。**

➤ ⑬　×　非常点滅表示灯（いわゆるハザードランプ）は、盗難、車内における事故その他の緊急事態が発生していることを表示するための灯火として作動する場合には、点滅回数の基準に「**適合しない**」構造とすることができる（保安基準第 41 条の 3 及び細目告示第 217 条第 3 項第 1 号）。

⑭ 乗用車等に備える事故自動緊急通報装置は、当該自動車が衝突等による衝撃を受ける事故が発生した場合において、その旨及び当該事故の概要を所定の場所に自動的かつ緊急に通報するものとして、機能、性能等に関し告示で定める基準に適合するものでなければならない。

⑮ 非常口を設けた乗車定員 30 人以上の自動車には、非常口又はその附近に、見やすいように、非常口の位置及びとびらの開放の方法が表示されていなければならない。この場合において、灯火により非常口の位置を表示するときは、その灯光の色は、緑色でなければならない。

⑯ 「緊急自動車」とは、消防自動車、警察自動車、保存血液を販売する医薬品販売業者が保存血液の緊急輸送のため使用する自動車、救急自動車、公共用応急作業自動車等の自動車及び国土交通大臣が定めるその他の緊急の用に供する自動車をいう。

⑰ 自動車の乗車定員は、12 歳以上の者の数をもって表すものとする。この場合において、12 歳以上の者 1 人は、12 歳未満の小児又は幼児 1.5 人に相当するものとする。

・・・

答

⑭ ○ 保安基準第 43 条の 8 により正しい。なお、本問の知識についても触れていなかったので、ここで確認しておいてほしい。

⑮ ○ 保安基準第 26 条第 1 項及び第 2 項により正しい。

⑯ ○ 保安基準第 1 条第 1 項第 13 号により正しい。

⑰ ○ 保安基準第 53 条第 2 項により正しい。

 ちょこっとアドバイス!!

過去問⑪と⑭は本編で触れていない知識だが、保安基準は条文数が多く、すべて網羅することは難しいのでご容赦いただきたい。ただし、運行管理者試験では、一度出題された選択肢は繰り返し出題されることがよくあるため、ここで紹介させていただいた。

第3章

道交法関係

用語の意義

重要度

 用語の定義の出題頻度は低いが、この先の学習の前提となる。念のため、正確な理解を意識しつつ、特に歩道と路側帯の違い、道路標識と道路標示の違いに注意しておこう。

CHECK 1　道交法の目的（道交法第1条）

道交法は、道路における**危険**を防止し、その他交通の安全と円滑を図り、及び道路の交通に起因する障害の防止に資することを目的とする。

CHECK 2　主な用語の定義（道交法第2条）

道交法第2条では、さまざまな用語の定義が定められている。ここでは、その中でもよく出題されている用語の定義を挙げる。

①歩道

歩行者の通行の用に供するため縁石線、又は柵、その他これに類する工作物によって区画された道路の部分

ポイント 〈歩道と路側帯の違いは？〉
歩道と路側帯の違いに注意。どちらも、歩行者の通行の用に供するために設けられているものだが、**歩道と車道**は、縁石線や柵で区切られているのに対し、**路側帯と車道**は、白線などの道路標示で区切られているにすぎない。

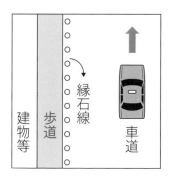

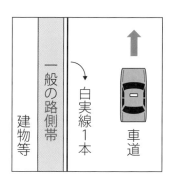

②車道

車両の通行の用に供するため縁石線、もしくは柵、その他これに類する工作物又は道路標示によって区画された道路の部分

③路側帯

歩行者の通行の用に供し、又は車道の効用を保つため、歩道の設けられていない道路又は道路の歩道の設けられていない側の路端寄りに設けられた帯状の道路の部分で、道路標示によって区画されたもの

> **ポイント** 〈「車道」と「本線車道」の違いに注意〉
> 「車道」に似たものとして、「本線車道」というものもある。「本線車道」とは、高速自動車国道（いわゆる高速道路）又は自動車専用道路の車道のことだ。
>
> 〈路側帯は、歩行者のためのもの〉
> 路側帯は、あくまでも歩行者の通行の用に供するために設けられているもので、自転車の通行の用に供することは予定されていない。
> もっとも、自転車も著しく歩行者の通行を妨げることとならない場合には、路側帯（歩行者専用路側帯を除く）を通行することができる。

④交差点

十字路、丁字路その他2以上の道路が交わる場合における当該2以上の道路（歩道と車道の区別のある道路においては、車道）の交わる部分

⑤車両通行帯

車両が道路の定められた部分を通行すべきことが道路標示により示されている場合における当該道路標示により示されている道路の部分

⑥車両

自動車、原動機付自転車、軽車両及びトロリーバスのこと

> **ポイント** 〈車両法の車両と混同してはダメ！〉
> 車両法の「車両」については、自動車、原動機付自転車、軽車両の3つしかないこと（82ページ）と混同しないよう注意しよう。

1 用語の意義

⑦自動車

　原動機を用い、かつ、レール又は架線によらないで運転し、又は特定自動運行を行う車であって、**原動機付自転車、軽車両、移動用小型車、身体障害者用の車及び遠隔操作型小型車**並びに**歩行補助車、乳母車その他の歩きながら用いる小型の車で政令で定めるもの（歩行補助車等）**以外のもの

⑧軽車両

　自転車、**荷車**その他人もしくは動物の力により、又は他の車両に**牽引**され、かつ、レールによらないで運転する車及び**原動機**を用い、かつ、レール又は架線に**よらないで運転**する車であって、車体の大きさ及び構造を勘案して内閣府令で定める車であって、移動用小型車、身体障害者用の車及び歩行補助車等以外のもの

⑨道路標識

　道路の交通に関し、規制又は指示を表示する**標示板**

青

道路標識
（横断歩道）

⑩道路標示

　道路の交通に関し、規制又は指示を表示する**標示**で、**路面に描かれた道路鋲**（交差点などをわかりやすくするために路面に埋め込まれた金属）、ペイント、石等による線、記号又は文字

道路標示
（駐停車禁止）

　道路標識は「板」である！…と意識しておこう。**道路標示**との区別に注意。

⑪運転

　道路において、車両又は路面電車をその本来の用い方に従って用いること（特定自動運行を行う場合を除く）

⑫駐車

　車両等が客待ち、荷待ち、貨物の積卸し、故障その他の理由により**継続的に停止すること**（貨物の積卸しのための停止で**5分を超えない**時間

内のもの及び人の乗降のための停止を除く）、又は車両等が停止（特定自動運行中の停止を除く）をし、かつ、当該車両等の運転をする者がその車両等を離れて直ちに運転することができない状態にあること

⑭進行妨害（ぼうがい）

車両等が、進行を継続し、又は始めた場合においては危険を防止するため他の車両等がその速度又は方向を急に変更しなければならないこととなるおそれがあるときに、その進行を継続し、又は始めること

⑬追越し

車両が他の車両等に追い付いた場合において、その進路を変えてその追い付いた車両等の側方を通過し、かつ、当該車両等の前方に出ること

⑮停車

車両等が停止することで駐車以外のもの

〈進行妨害と進路変更を混同するな！〉
「進行妨害」と「進路変更」を混同しないように注意しよう（「進路変更」については、道交法第2条では特に定義していない）。

⑯徐行

車両等が直ちに停止することができるような速度で進行すること

⑱交通公害

道路の交通に起因して生ずる大気の汚染、騒音及び振動のうち内閣府令・環境省令で定めるものによって、人の健康又は生活環境に係る被害が生ずること

⑰安全地帯

路面電車に乗降する者もしくは横断している歩行者の安全を図るため道路に設けられた島状の施設又は道路標識及び道路標示により安全地帯であることが示されている道路の部分

1 用語の意義

1　路側帯とは、歩行者及び自転車の通行の用に供するため、歩道の設けられていない道路又は道路の歩道の設けられていない側の路端寄りに設けられた帯状の道路の部分で、道路標示によって区画されたものをいう。

2　車両とは、自動車、原動機付自転車及びトロリーバスをいう。

3　道路交通法に定める用語の意義についての次の記述のうち、正しいものを 2 つ選びなさい。なお、解答にあたっては、各選択肢に記載されている事項以外は考慮しないものとする。

1. 徐行とは、車両等が直ちに停止することができるような速度で進行することをいう。
2. 自動車とは、原動機を用い、かつ、レール又は架線によらないで運転し、又は特定自動運行を行う車であって、原動機付自転車、軽車両、移動用小型車、身体障害者用の車及び遠隔操作型小型車並びに歩行補助車、乳母車その他の歩きながら用いる小型の車で政令で定めるもの（歩行補助車等）以外のものをいう。
3. 駐車とは、車両等が客待ち、荷待ち、貨物の積卸し、故障その他の理由により継続的に停止すること（客待ちのための停止で 5 分を超えない時間内のもの及び人の乗降のための停止を除く。）、又は車両等が停止（特定自動運行中の停止を除く。）をし、かつ、当該車両等の運転をする者がその車両等を離れて直ちに運転することができない状態にあることをいう。
4. 道路標識とは、道路の交通に関し、規制又は指示を表示する標示で、路面に描かれた道路鋲、ペイント、石等による線、記号又は文字をいう。

••

答

1　×　路側帯は、あくまでも**歩行者**の通行の用に供するためのもので、**自転車**の通行の用に供することは予定されていない。

2　×　**軽車両が抜けている。**

3　1と2
　　120 〜 123 ページの「2　主な用語の定義」の⑯、⑦、⑫、⑨の説明参照。補足しておくと、選択肢 3 の「（客待ちのための停止で 5 分を超えない時間内のもの及び人の乗降のための停止を除く。）」という部分は、「（貨物の積卸しのための停止で 5 分を超えない時間内のもの及び人の乗降のための停止を除く。）」が正しい。また、選択肢 4 について、路面に描かれるものは道路標示である。

通行区分及び最高速度等

重要度 ♣♣♣

合格への道　ここで紹介する知識は、どれかが毎回のように出題されている。特に「最高速度」と「最低速度」については、選択肢単位ではなく、1つの問題として出題されることも多い点で、重要度が高い。

CHECK □　1　通行区分（道交法第17条）

　車両は、①道路外の施設又は場所に出入りするため、やむを得ない場合に**歩道又は路側帯を横断する**とき、又は②法令の規定により**歩道又は路側帯で停車・駐車する**ため、必要な限度で**歩道又は路側帯を通行する**ときは、歩道又は路側帯に入る直前で**一時停止**し、かつ、歩行者の通行を妨げないようにしなければならない。

CHECK □　2　歩道と車道の区別のない道路（道交法第18条）

　車両は、**歩道と車道の区別のない道路**を通行する場合その他の場合で、歩行者の**側方**を通過するときは、これとの間に**安全な間隔**を保ち、又は**徐行**しなければならない。

CHECK □　3　最高速度（道交法第22条、同法施行令第11条、第12条、第27条）

　車両は、道路標識等によりその最高速度が指定されている道路においてはその最高速度を、その他の道路においては政令で定める最高速度を超える速度で進行してはならない。

　各道路における法定の最高速度は次ページの表のとおり。

道路の種別	最高速度
一般道路	**原則** 時速 60 キロメートル **例外** 他の車両を**牽引**して道路を通行する場合 ①車両総重量が 2,000 **キログラム以下**の車両を、その車両の車両総重量の 3 倍以上の車両総重量の自動車で牽引する場合 →**時速 40 キロメートル** ②そうでない場合 →**時速 30 キロメートル**
高速自動車国道の本線車道又はこれに接する加速車線若しくは減速車線	**原則** 時速 80 キロメートル **例外** ①専ら**人を運搬**する構造の**大型**自動車[1] ②車両総重量 8,000 キログラム**未満**、最大積載重量 5,000 キログラム**未満**及び乗車定員が 10 人以下の中型自動車等 ③普通自動車　―など[2] →**時速 100 キロメートル**

※ 1 乗車定員が 30 人以上の自動車が大型自動車に分類される。

※ 2 令和 6 年 4 月 1 日より、車両総重量 8,000kg 以上、最大積載重量 5,000kg 以上の中型・大型自動車の高速自動車国道等での最高速度は、原則として、時速 90 キロメートルとなる。この点が試験範囲に含まれる**令和 6 年度第 2 回試験からは注意**すること。

CHECK
□ **4　最高速度違反行為に係る車両の使用者に対する指示（道交法第 22 条の 2 第 1 項）**

　車両の**運転者**が、**最高速度違反行為**を当該車両の**使用者**（当該車両の運転者であるものを除く）**の業務に関してした場合**において、当該最高速度違反行為に係る車両の**使用者**が、当該車両につき**最高速度違反行為を防止するため必要な運行の管理を行っていると認められない**ときは、当該車両の使用の本拠の位置を管轄する**公安委員会**は、当該車両の**使用者**に対し、最高速度違反行為となる運転が行われることのないよう運転者に**指導**し又は**助言**すること、その他最高速度違反行為を防止するため必要な措置をとることを**指示**することができる。

車両の**使用者**に対し、最高速度違反行為となる運転が行われることのないよう、運転者に**指導・助言**などの措置をとるよう**指示**できるのは、**公安委員会**である。

CHECK ☐ 5 最高速度違反行為の命令等の禁止（道交法第 75 条）

　自動車の**使用者**はその者の業務に関し、自動車の**運転者**に対し、最高速度違反行為を命じ、又は自動車の**運転者**が最高速度違反行為をすることを容認してはならない。

　自動車の**使用者**等が、この最高速度違反行為の命令等の禁止に違反し、当該違反により自動車の**運転者**が違反行為をした場合で、自動車の**使用者**がその者の業務に関し自動車を使用することが著（いちじる）しく道路における交通の危険を生じさせ、又は著しく交通の妨害となるおそれがあると認めるときは、**公安委員会**は、当該自動車の**使用者**に対し、**6 ヵ月**を超えない範囲内で期間を定めて、当該違反に係る自動車を運転し、又は運転させてはならない旨を**命ず**ることができる。

CHECK ☐ 6 最低速度（道交法第 75 条の 4、同法施行令第 27 条の 3）

　また、自動車は、**高速自動車国道の本線車道**においては、法令の規定によりその速度を減ずる場合及び危険を防止するためやむを得ない場合を除き、最低速度が指定されている区間にあってはその最低速度以上の速度、その他の区間にあっては、**時速 50 キロメートル以上**で進行しなければならない。

 ちょこっとアドバイス!!

ここまでは「最高速度」の話をしていたが、ここでの話は「最低速度」の話である。いわゆる高速道路では、最低速度が定まっているので、この点も意識しておこう！

2 通行区分及び最高速度等

① 車両は、道路外の施設又は場所に出入するためやむを得ない場合において歩道等を横断するとき、又は法令の規定により歩道等で停車し、若しくは駐車するため必要な限度において歩道等を通行するときは、徐行しなければならない。

② 道路交通法に定める自動車の法定速度に関する次の文中、A、B、C、Dに入るべき字句を下の枠内の選択肢（①〜⑤）から選びなさい。

1. 自動車の最高速度は、道路標識等により最高速度が指定されていない片側一車線の一般道路においては、　A　である。
2. 自動車の最低速度は、法令の規定によりその速度を減ずる場合及び危険を防止するためやむを得ない場合を除き、道路標識等により自動車の最低速度が指定されていない区間の高速自動車国道の本線車道（政令で定めるものを除く。）においては、　B　である。
3. 貸切バス（乗車定員47名）の最高速度は、道路標識等により最高速度が指定されていない高速自動車国道の本線車道（政令で定めるものを除く。）においては、　C　である。
4. トラック（車両総重量12,000キログラム、最大積載量8,000キログラムであって乗車定員3名）の最高速度は、道路標識等により最高速度が指定されていない高速自動車国道の本線車道（政令で定めるものを除く。）においては、　D　である。

① 時速40キロメートル	② 時速50キロメートル
③ 時速60キロメートル	④ 時速80キロメートル
⑤ 時速100キロメートル	

③ 旅客自動車運送事業の用に供する車両総重量が2,265キログラムの自動車が、故障した車両総重量1,800キログラムの普通自動車をロープでけん引する場合の最高速度は、道路標識等により最高速度が指定されていない一般道路においては、時速30キロメートルである。

<過去問にチャレンジ！> 解答

① 　×　本問の場合、徐行ではなく、歩道等に入る直前で**一時停止**し、かつ、**歩行者**の通行を妨げないようにしなければならない。

② 　A：③　B：②　C：⑤　D：④

1. 「③　**時速 60 キロメートル**」　道交法第 22 条第 1 項及び同法施行令第 11 条によると、自動車の最高速度は、道路標識等により最高速度が指定されていない片側一車線の一般道路においては、**時速 60 キロメートル**である。

2. 「②　**時速 50 キロメートル**」道交法第 75 条の 4 及び同法施行令第 27 条の 3 によると、自動車の最低速度は、法令の規定によりその速度を減ずる場合及び危険を防止するためやむを得ない場合を除き、道路標識等により自動車の最低速度が指定されていない区間の高速自動車国道の本線車道（政令で定めるものを除く）においては、**時速 50 キロメートル**である。

3. 「⑤　**時速 100 キロメートル**」　道交法第 3 条及び同法施行規則第 2 条によると、乗車定員が 30 人以上の自動車は**大型自動車**に分類される。また、同法第 22 条第 1 項及び同法施行令第 27 条第 1 項第 1 号イによると、**大型自動車のうち専ら人を運搬する構造のものの最高速度は、道路標識等により最高速度が指定されていない高速自動車国道の本線車道（政令で定めるものを除く）においては、時速 100 キロメートル**である。

4. 「④　**時速 80 キロメートル**」　高速自動車国道の本線車道又はこれに接する加速車線若しくは減速車線における最高速度は、原則として、**時速 80 キロメートル**である。しかし、①専ら人を運搬する構造の大型自動車や、②車両総重量 8,000 キログラム未満、最大積載重量 5,000 キログラム未満及び乗車定員が 10 人以下の中型自動車等では、**時速 100 キロメートル**となる。本肢のトラックは、この①②のどちらにも当たらないため、最高速度は**時速 80 キロメートル**となる。なお、令和 6 年 4 月 1 日より、本肢トラックの高速自動車国道等での最高速度は、原則として、時速 90 キロメートルとなるため、**令和 6 年度第 2 回試験より注意**。

③ 　〇　道路標識等により最高速度が指定されていない一般道路の最高速度は、原則として、**時速 60 キロメートル**である。しかし、**他の車両をけん引して道路を通行する場合**、①**車両総重量が 2,000 キログラム以下の車両を、その車両の車両総重量の 3 倍以上の車両総重量の自動車でけん引する場合は、時速 40 キロメートル、②そうでない場合は、時速 30 キロメートル**が最高速度となる。本問では、「車両総重量 1,800 キログラムの普通自動車」という車両総重量が 2,000 キログラム以下の車両をけん引しているが、けん引する自動車の車両総重量が 2,265 キログラムであり、3 倍以上の車両総重量の自動車でけん引する場合に当たらないため、最高速度は**時速 30 キロメートル**となる。

2　通行区分及び最高速度等

通行方法等

重要度 🚗🚗🚗

合格への道　追越しの方法や交差点での通行方法等は、どこかしらの知識が毎回のように出題される重要事項だ。とはいえ、ここで紹介する話をきちんと押さえておけば、試験には対応できるはずだ。

☑ 1　追越しの方法（道交法第28条、第29条、第17条第5項）

　車両は、他の車両を追い越そうとするときは、その追い越されようとする車両（**前車**）の右側を通行しなければならないのが原則である。なお、**前車が他の車両を追い越そうとしているときは、追越しを始めてはならない**。

もし前車が他の車両を追い越そうとしていたら、追越しを始めてはならない。

　ただし、下図のように、**前車が法令の規定により道路の中央又は右側端に寄って通行しているとき**（道路外に出るために右折するときなど※）は、その**左側を通行**しなければならない。**追い越してはならないわけではない。**

左側を通行することができる。

※自動車等は右折するとき、あらかじめ右折する前からできる限り道路の中央（当該道路が一方通行のときは、当該道路の右側端）に寄らなければならないとされている。
　また、**左折又は右折しようとする車両**が、法令の規定により、それぞれ道路の左側端、中央又は右側端に寄ろうとして**手又は方向指示器による合図**をした場合においては、その後方にある車両は、その**速度又は方向を急に変更**しなければならないこととなる場合を除き、当該**合図をした車両の進路の変更を妨げてはならない**。

　また、車両は、**道路中央から左部分の幅員が 6 メートルに満たない道路に**おいて、**他の車両を追い越そうとするとき**（道路の中央から**右の部分を見と**おすことができ、かつ、反対の方向からの交通を妨げるおそれがない**場合に限る**ものとし、道路標識等により追越しのため道路の中央から右の部分に**はみ出して通行することが禁止**されている場合を除く）は、**道路の中央から右の部分にその全部又は一部をはみ出して通行することができる。**

　なお、下図のように他の車両が**法令や警察官の命令、危険防止のため停止**しているか、**停止しようとして徐行している場合**（それに続く車両も含む）で、その車両等に追いついたときは、**前方にある車両等の側方を通過して、当該車両等の前方に割り込み、又はその前方を横切ってはならない。**

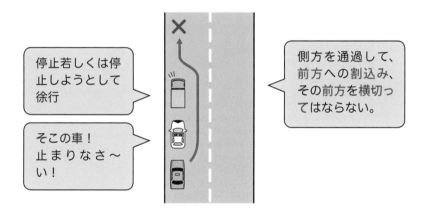

CHECK ☐ 2　通行区分（道交法第 17 条、第 18 条）

　車両は、歩道又は路側帯（歩道等）と車道の区別のある道路においては、車道を通行しなければならない。ただし、**道路外の施設又は場所に出入りするため、やむを得ない場合において歩道等を横断するとき、又は法令の規定により歩道等で停車**し、若しくは**駐車するため必要な限度において歩道等を通行するとき、車両は、歩道等に入る直前で一時停止**し、かつ、歩行者の通行を妨げないようにしなければならない。

　なお、車両は**歩道と車道の区別のない道路を通行**する場合などで、**歩行者の側方を通過**するとき、安全な間隔を保つか、徐行しなければならない。

3 追越し禁止場所（道交法第 30 条）

　車両は、**次の場所**では他の車両（特定小型原動機付自転車等を除く）の**追越しが禁止**されている。

　なお、**道交法における「車両」**には、原動機付自転車が含まれるため、次の追越し禁止場所における**原動機付自転車の追越しは、認められない**。

（ 追越し禁止場所 ）

①**道路標識等**により**追越しが禁止**されている道路の部分	青 追越し禁止
②道路の**曲がり角付近**、上り坂の**頂上付近**又は**勾配の急な下り坂** ➡ **徐行**すべき場所とほぼ同じ （136 ページ参照）	頂上付近だけ ✕ 全区間 ✕　急勾配
③**トンネル**（ただし、**車両通行帯**がある場合は、追越し**可能**）	高田 トンネル Takada Tunnel　緑 長さ　1905m
④**交差点**（当該車両が法令の規定する**優先道路を通行**している場合における当該**優先道路**にある**交差点は除く**）、踏切、横断歩道又は**自転車横断帯及びこれらの手前の側端から前に 30 メートル以内**の部分	自転車横断帯　横断歩道 青　青

　　ポイント　注意が必要なのは②である。「**勾配の急な下り坂**」での追越しは禁止されるが、「**勾配の急な上り坂**」での追越しは禁止されない。上り坂で追越しが禁止されるのは、その「**頂上付近**」である。

CHECK ☐ 4　進路変更（道交法第26条の2）

　車両は、みだりにその進路を変更してはならない。また、**進路を変更した**場合に、その**変更後の進路と同一の進路を後方から進行してくる車両等の速度又は方向を急に変更させることとなるおそれ**があるときは、**進路を変更してはならない。**

CHECK ☐ 5　バスの発進の保護（道交法第31条の2）

　停留所において乗客の乗降のため停車していた**乗合自動車（バス）が発進**するため進路を変更しようとして手又は方向指示器により**合図をした場合**、後方車両は、その速度又は方向を急に変更しなければならないこととなる場合を除き、当該合図をした**乗合自動車の進路の変更を妨げてはならない。**

CHECK ☐ 6　交差点における通行方法（道交法第34条、第36条、第37条）

　車両は左折するとき、あらかじめその前からできる限り道路の左側端に寄り、かつ、できる限り道路の左側端に沿って（道路標識等で通行部分が指定されているときは、その指定部分を通行して）、**徐行しなければならない。**

　また、車両は、**交差点に入ろうとし**、及び**交差点内を通行するとき**は、交差点の状況に応じ、交差道路を通行する車両等（車両又は路面電車）、反対方向から進行してきて右折する車両等及び当該交差点又はその直近で道路を横断する歩行者に特に注意し、**できる限り安全な速度と方法で進行しなければ**ならない。

　そして、**交差点で右折**する場合、当該交差点で直進又は左折しようとする**車両等があるとき**は、当該車両等の**進行妨害をしてはならない。**

　さらに、**優先道路を通行している場合を除き**、車両が、**交通整理の行われていない交差点に入ろうとする場合**において、**交差道路が優先道路**であるとき、又はその通行している道路の幅員よりも**交差道路の幅員が明らかに広い**ものであるときは、その**前方に出る前に徐行しなければならない。**

CHECK ☐ 7　環状交差点での左折等（道交法第35条の2）

　「**環状交差点**」とは、欧米などで普及し、日本でも少しずつ普及され始めている交差点である。次ページの図のように、**自動車は右回りの一方通行で進行し**、**交差点を出ていく**。環状部分を進んでいる車が優先される。

◆ 環状交差点のイメージ

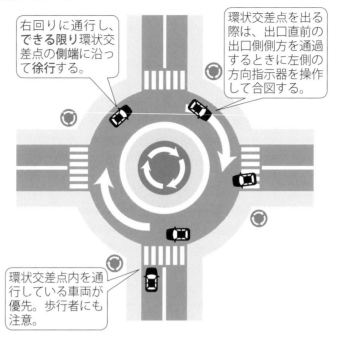

右回りに通行し、できる限り環状交差点の側端に沿って徐行する。

環状交差点を出る際は、出口直前の出口側側方を通過するときに左側の方向指示器を操作して合図する。

環状交差点内を通行している車両が優先。歩行者にも注意。

CHECK ☐ **8　横断歩道等における通行方法（道交法第38条）**

　車両等は、**横断歩道又は自転車横断帯（横断歩道等）に接近し、通過する際に、進路の前方を横断しようとする歩行者又は自転車（歩行者等）がないことが明らかな場合を除き**、横断歩道等の**直前**（道路標識等による停止線が設けられているときは停止線の直前）**で停止できる速度で進行しなければならない**。

　そして、**横断歩道等でその進路の前方を横断し、又は横断しようとする歩行者等があるときは、当該横断歩道等の**直前**で一時停止**し、かつ、その通行を妨げないようにしなければならない。

　また、**車両等は、横断歩道等**（信号機の表示する信号又は警察官等の手信号等により当該横断歩道等による歩行者等の横断が禁止されているものを除く）**又はその手前の直前で停止している車両等がある場合に、その車両等の側方を通過してその前方に出ようとするときは、その前方に**出る前に一時停止**しなければならない。さらに、車両等は、**横断歩道等及びその手前の側端から前に30メートル以内の道路の部分では、その前方を進行している他の車両等**（特定小型原動機付自転車等を除く）**の側方を通過してその前方に出てはならない。**

□ CHECK **9　車両通行帯における通行方法（道交法第18条、第20条、第20条の2）**

　車両は、車両通行帯の設けられた道路では、道路の**左側端から数えて1番目**の車両通行帯を通行しなければならない。ただし、**自動車**（小型特殊自動車及び道路標識等で指定された自動車を除く）**は**、当該道路の左側部分（当該道路が一方通行となっているときは、当該道路）に**3以上の車両通行帯**が設けられているときは、政令で定めるところにより、**その速度に応じ、その最も右側の車両通行帯以外**の車両通行帯を通行することができる。

　また、**自動車**（路線バス等を除く）**は**、一般乗合旅客自動車運送事業者による路線定期運行の用に供する自動車（**路線バス等**）の**優先通行帯**であることが道路標識等により表示されている車両通行帯が設けられている道路を**通行中、路線バス等が後方から接近**してきた場合、その正常な運行に支障を及ぼさないように、**速やかに当該車両通行帯の外に出**なければならない。

ポイント 〈**バスの接近ですぐ外に！**〉
　上記の路線バス等の優先通行帯を通行中の知識は頻出だ。**速やかに外に出**なければならず、**実際に接近してくるまで当該車両通行帯を通行できるわけではない！**

　ちちなみに、車両（トロリーバスを除く）が、**車両通行帯が「設けられていない」**道路を通行する場合は、**道路の左側**に寄って、当該道路を通行する。ただし、追越しをする場合や、法令の規定で道路の中央や右側に寄る場合、道路の状況等でやむを得ない場合は、この限りではない。

□ CHECK **10　踏切の通過（道交法第33条）**

　車両等は**踏切を通過**しようとするときは、**踏切の直前**（道路標識等による停止線が設けられているときは、その停止線の直前）で**停止**し、かつ、**安全**であることを**確認**した後でなければ通行してはならない。

　ただし、**信号機の表示する信号に従う**ときは、**踏切の直前で停止しないで進行**することができる。

11　軌道敷内（路面電車の線路内）の通行方法（道交法第 21 条）

　車両（トロリーバスを除く）は、原則として、軌道敷内を通行してはならない。ただし、法令で定める路面電車の通行を妨げない場合や、**左折・右折・横断・転回**するために軌道敷を横切る場合、**危険防止のためやむを得ない場合**などは、軌道敷内を通行できる。

12　徐行すべき場所（道交法第 37 条の 2、第 42 条）

　車両等は、徐行が指定される道路の部分はもちろん、**環状交差点に入ろう**とするとき、**左右の見とおしがきかない交差点に入ろう**とするとき、**交差点内で左右の見とおしがきかない部分を通行しよう**とするとき（交通整理が行われている場合や優先道路を通行している場合を除く）、**道路の曲がり角付近**、**上り坂の頂上付近、勾配の急な下り坂を通行する**ときは、**徐行しなければならない。**

13　救急車等の緊急自動車の優先（道交法第 40 条）

　車両は、**緊急自動車が接近**してきたときは、道路の**左側**に寄って、進路を譲らなければならない。

　また、**交差点又はその付近**で緊急自動車が接近してきたとき、車両（緊急自動車を除く）は交差点を**避け**、かつ、道路の**左側**（一方通行の道路において、その左側に寄ることが緊急自動車の通行を妨げる場合は、道路の**右側**）に寄って、**一時停止**しなければならない。

14　通行の禁止等（道交法第 8 条）

　車両等は、道路標識等で通行を禁止されている道路又はその部分を通行してはならないが、警察署長が政令で定めるやむを得ない理由があると認めて許可をしたときは、**通行することができる。**この場合、許可証の交付を受けた車両の運転者は、当該通行中、許可証を携帯していなければならない。

15　高速自動車国道での自動車の交通方法等（道交法第 75 条の 6 〜 8）

　自動車（緊急自動車を除く）は、**本線車道に入ろう**とする場合（本線車道から他の本線車道に入ろうとする場合は、道路標識等により指定された本線

車道に入ろうとする場合に限る）において、当該**本線車道を通行する自動車**
があるときは、当該自動車の進行妨害をしてはならない。ただし、**当該交差**
点において、交通整理が行われているときは、この限りでない。

　また、緊急自動車以外の自動車は、**緊急自動車が本線車道に入ろうとして**
いる場合又はその通行している**本線車道から出ようとしている場合、当該緊**
急自動車の通行を妨げてはならない。

　そして、自動車は、**本線車道に入ろうとする場合**において、**加速車線が設**
けられているときは、その加速車線を通行しなければならない。また、自動
車は、その通行している**本線車道から出ようとする場合**においては、**あらか**
じめその前から出口に接続する車両通行帯を通行しなければならない。この
場合において、**減速車線が設けられている**ときは、その減速車線を通行しな
ければならない。

ポイント 〈**バスの接近ですぐ外に！**〉
　上記の「加速車線」が設けられている場合は加速車線を通行する点
について、例外規定は**ない**。このヒッカケ問題が出題されている。

　なお、自動車は、高速自動車国道等においては、**法令の規定若しくは警察**
官の命令により、又は危険を防止するため一時停止する場合のほか、**停車し、**
又は駐車してはならない。ただし、以下の場合は、この限りでない。

◆ 高速自動車国道等で停車又は駐車できる場合

①**駐車の用に供するため区画**された場所で停車し、又は駐車するとき。
②故障その他の理由により停車し、又は駐車することがやむを得ない**場合**
　において、停車又は駐車のため**十分な幅員がある路肩又は路側帯に停車**
　し、又は駐車するとき。
③**乗合自動車**が、その属する運行系統に係る**停留所**において、乗客の**乗降**
　のため停車し、又は**運行時間を調整するため駐車**するとき。
④料金支払いのため**料金徴収所**において**停車**するとき。

① 車両は、他の車両を追い越そうとするときは、その追い越されようとする車両（以下「前車」という。）の右側を通行しなければならない。ただし、前車が法令の規定により右折をするため道路の中央又は右側端に寄って通行しているときは、前車を追越してはならない。

② 左折又は右折しようとする車両が、法令の規定により、それぞれ道路の左側端、中央又は右側端に寄ろうとして手又は方向指示器による合図をした場合においては、その後方にある車両は、いかなる場合であっても当該合図をした車両の進路を妨げてはならない。

③ 車両は、進路を変更した場合にその変更した後の進路と同一の進路を後方から進行してくる車両等の速度又は方向を急に変更させることとなるおそれがあるときは、速やかに進路を変更しなければならない。

④ 車両は、道路の中央から左の部分の幅員が 6 メートルに満たない道路において、他の車両を追い越そうとするとき（道路の中央から右の部分を見とおすことができ、かつ、反対の方向からの交通を妨げるおそれがない場合に限るものとし、道路標識等により追越しのため道路の中央から右の部分にはみ出して通行することが禁止されている場合を除く。）は、道路の中央から右の部分にその全部又は一部をはみ出して通行することができる。

⑤ 車両は、法令の規定若しくは警察官の命令により、又は危険を防止するため、停止し、若しくは停止しようとして徐行している車両等に追いついたときは、その前方にある車両等の側方を通過して当該車両等の前方に割り込み、又はその前方を横切ってはならない。

⑥ 車両は、法令に規定する優先道路を通行している場合における当該優先道路にある交差点を除き、交差点の手前の側端から前に 30 メートル以内の部分においては、他の車両（特定小型原動機付自転車等を除く。）を追い越そうとするときは、速やかに進路を変更しなければならない。

⑦ 車両は、トンネル内の車両通行帯が設けられている道路の部分（道路標識等により追越しが禁止されているものを除く。）においては、他の車両を追い越すことができる。

《 過去問にチャレンジ！ 》解答

▶ ① ×　車両は、他の車両を追い越そうとするときは、その追い越されようとする車両（以下「前車」という）の**右側**を通行しなければならない。ただし、法令の規定により追越しを禁止されていない場所において、前車が法令の規定により右折をするため道路の中央又は右側端に寄って通行しているときは、その**左側を通行しなければならない。追越してはならないわけではない。**

▶ ② ×　左折又は右折しようとする車両が、法令の規定により、それぞれ道路の左側端、中央又は右側端に寄ろうとして手又は方向指示器による合図をした場合においては、その後方にある車両は、その速度又は方向を**急に変更しなければならないこととなる場合を除き、**当該合図をした車両の進路の変更を妨げてはならない。**いかなる場合も前車の進路を妨げてはならないわけではない。**

▶ ③ ×　車両は、進路を変更した場合に、その変更した後の進路と同一の進路を後方から進行してくる車両等の速度又は方向を急に変更させることとなるおそれがあるときは、進路を変更してはならない。

▶ ④ ○　道交法第 17 条第 5 項第 4 号により正しい。

▶ ⑤ ○　道交法第 32 条により正しい。

▶ ⑥ ×　車両は、法令に規定する**優先道路を通行**している場合における当該**優先道路にある交差点を除き、交差点、踏切、横断歩道又は自転車横断帯**及びこれらの手前の側端から前に 30 メートル以内の部分で、**追越しをしてはならない。**

▶ ⑦ ○　原則として、トンネル内での追越しは**禁止されている**が、**車両通行帯の設けられている部分での追越しは、禁止されていない。**

⑧ 車両は、道路標識等により追越しが禁止されている道路の部分においても、前方を進行している原動機付自転車は追い越すことができる。

⑨ 車両は、左折するときは、あらかじめその前からできる限り道路の左側端に寄り、かつ、できる限り道路の左側端に沿って（道路標識等により通行すべき部分が指定されているときは、その指定された部分を通行して）徐行しなければならない。

⑩ 車両等は、交差点に入ろうとし、及び交差点内を通行するときは、当該交差点の状況に応じ、交差道路を通行する車両等、反対方向から進行してきて右折する車両等及び当該交差点又はその直近で道路を横断する歩行者に特に注意し、かつ、できる限り安全な速度と方法で進行しなければならない。

⑪ 車両等（優先道路を通行している車両等を除く。）は、交通整理の行われていない交差点に入ろうとする場合において、交差道路が優先道路であるとき、又はその通行している道路の幅員よりも交差道路の幅員が明らかに広いものであるときは、その前方に出る前に必ず一時停止しなければならない。

⑫ 車両は、車両通行帯の設けられた道路においては、道路の左側端から数えて1番目の車両通行帯を通行しなければならない。ただし、自動車（小型特殊自動車及び道路標識等によって指定された自動車を除く。）は、当該道路の左側部分（当該道路が一方通行となっているときは、当該道路）に3以上の車両通行帯が設けられているときは、政令で定めるところにより、その速度に応じ、その最も右側の車両通行帯以外の車両通行帯を通行することができる。

⑬ 車両等は、横断歩道に接近する場合には、当該横断歩道を通過する際に当該横断歩道によりその進路の前方を横断しようとする歩行者がないことが明らかな場合を除き、当該横断歩道の直前で停止することができるような速度で進行しなければならない。

⑭ 一般乗合旅客自動車運送事業者による路線定期運行の用に供する自動車（以下「路線バス等」という。）の優先通行帯であることが道路標識等により表示されている車両通行帯が設けられている道路においては、自動車（路線バス等を除く。）は、路線バス等が後方から接近してきた場合に当該道路における交通の混雑のため当該車両通行帯から出ることができないこととなるときであっても、路線バス等が実際に接近してくるまでの間は、当該車両通行帯を通行することができる。

〈過去問にチャレンジ！〉解答

⑧　×　道交法の「車両」には、原動機付自転車が**含まれる**。よって、追越しが禁止されている場所での原動機付自転車の追越しは**できない**。

⑨　○　道交法第 34 条第 1 項により正しい。

⑩　○　道交法第 36 条第 4 項により正しい。

⑪　×　**優先道路を通行している場合を除いて**、車両等は、交通整理の行われていない交差点に入ろうとする場合において、交差道路が優先道路であるとき、又はその通行している道路の幅員よりも交差道路の幅員が明らかに広いものであるときは、**徐行**しなければならないのであり、必ず一時停止する必要は**ない**。

⑫　○　道交法第 20 条第 1 項により正しい。

⑬　○　道交法第 38 条第 1 項により正しい。

⑭　×　路線バス等の優先通行帯であることが道路標識等により表示されている車両通行帯が設けられている道路においては、自動車（路線バス等を除く）は、後方から路線バス等が接近してきたときは、その正常な運行に支障を及ぼさないように、**速やかに当該車両通行帯の外に出なければ**ならない。

3

通行方法等

停車及び駐車の禁止

重要度

合格への道
「停車及び駐車が禁止される場所」「駐車が禁止される場所」は、2回に1回くらいの頻度で出題される。ここで紹介する知識を覚えてしまえば簡単な問題が多いので、しっかり押さえておこう。

CHECK □ 1 停車及び駐車が禁止される場所（道交法第44条）

　車両は、原則として、次の場所には停車も駐車もしてはならない。ただし、乗合自動車又はトロリーバスが停留所等において、乗客の乗降のため停車するとき等は除く。

┌─ **停車も駐車も禁止される場所** ─┐

①道路標識等により**停車及び駐車が禁止**されている道路の部分

②交差点、横断歩道、自転車横断帯、踏切、軌道敷内、坂の頂上付近、勾配の急な坂、トンネル
　➡ 前半5つは当然で、わざわざ覚える必要はないであろう。後半3つについて、132ページの「追越し禁止場所」と微妙に異なるので注意

③交差点の側端又は道路の曲がり角から5メートル以内の部分※

④横断歩道又は自転車横断帯の前後の側端からそれぞれ前後に5メートル以内の部分

⑤安全地帯が設けられている道路の当該**安全地帯の左側**の部分及び当該部分の前後の側端からそれぞれ前後に10メートル以内の部分

⑥乗合自動車（バス）の停留所、トロリーバスや路面電車の停留場を**表示する標示柱又は標示板**が設けられている位置から10メートル以内の部分（乗合自動車等の運行時間中に限る）

⑦**踏切**の前後の側端からそれぞれ前後に10メートル以内の部分

※法令の規定や警察官の命令、危険を防止するための一時停止の場合は除く。

CHECK ☐ 2　駐車が禁止される場所（道交法第 45 条）

車両は、原則として次の場所には駐車してはならない。

> 駐車が禁止される場所

①**道路標識等**により**駐車**が**禁止**されている道路の部分	駐車禁止  青
②人の乗降、貨物の積卸し、駐車又は自動車の格納もしくは**修理**のため、道路外に設けられた施設又は場所の道路に接する**自動車用の出入口**から **3** メートル以内の部分	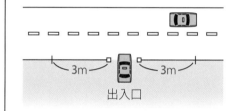 3m　3m 出入口
③**道路工事**が行われている場合における当該**工事区域**の側端から **5** メートル以内の部分	道路工事中  黄
④消防用機械器具の置場もしくは消防用防火水槽の側端又はこれらの道路に接する出入口から **5** メートル以内の部分	

4　停車及び駐車の禁止

⑤**消火栓、指定消防水利の標識**が設けられている位置又は**消防用防火水槽**の吸水口もしくは吸管投入孔から**5メートル以内**の部分

⑥**火災報知機**から**1メートル以内**の部分

⑦法令の規定により駐車する場合に、当該**車両の右側の道路上**に**3.5メートル**（道路標識等により距離が指定されているときは、その距離）**以上の余地がない**こととなる場所。

　ただし、（ア）**貨物の積卸し**を行う場合で、**運転者がその車両を離れない**とき、もしくは**運転者**がその車両を離れたが**直ちに運転**に従事することができる状態にあるとき、又は（イ）**傷病者の救護**のためやむを得ないときは、この限りでない。

道路

3.5m 以上
必要

ただし、例外が
いくつかあり！

🚌**ポイント**　上記⑦の前半部分は、**公安委員会が交通がひんぱんでないと認めて指定した区域には**適用されない。つまり、一定の余地がなくても駐車できる場合がある。

過去問にチャレンジ！

① 道路交通法に定める停車及び駐車を禁止する場所についての次の文中、A、B、C、D に入るべき字句を下の枠内の選択肢（①〜③）から選びなさい。なお、各選択肢は、法令の規定若しくは警察官の命令により、又は危険を防止するため一時停止する場合には当たらないものとする。また、解答にあたっては、各選択肢に記載されている事項以外は考慮しないものとする。

1. 車両は、交差点の側端又は道路の曲がり角から　A　以内の道路の部分においては、停車し、又は駐車してはならない。
2. 車両は、横断歩道又は自転車横断帯の前後の側端からそれぞれ前後に　B　以内の道路の部分においては、停車し、又は駐車してはならない。
3. 車両は、安全地帯が設けられている道路の当該安全地帯の左側の部分及び当該部分の前後の側端からそれぞれ前後に　C　以内の道路の部分においては、停車し、又は駐車してはならない。
4. 車両は、踏切の前後の側端からそれぞれ前後に　D　以内の部分においては、停車し、又は駐車してはならない。

| ① 3 メートル | ② 5 メートル | ③ 10 メートル |

答

① A：②　B：②　C：③　D：③

1. 「②　5 メートル」　道交法第 44 条第 1 項第 2 号によると、車両は、交差点の側端又は道路の曲がり角から 5 メートル以内の道路の部分においては、停車し、又は駐車してはならない。
2. 「②　5 メートル」　道交法第 44 条第 1 項第 3 号によると、車両は、横断歩道又は自転車横断帯の前後の側端からそれぞれ前後に 5 メートル以内の道路の部分においては、停車し、又は駐車してはならない。
3. 「③　10 メートル」　道交法第 44 条第 1 項第 4 号によると、車両は、安全地帯が設けられている道路の当該安全地帯の左側の部分及び当該部分の前後の側端からそれぞれ前後に 10 メートル以内の道路の部分においては、停車し、又は駐車してはならない。
4. 「③　10 メートル」　道交法第 44 条第 1 項第 6 号によると、車両は、踏切の前後の側端からそれぞれ前後に 10 メートル以内の部分においては、停車し、又は駐車してはならない。

　　ちなみに、本問では「①　3 メートル」はどこにも入らないが、人の乗降、貨物の積卸し、駐車又は自動車の格納若しくは修理のため道路外に設けられた施設又は場所の道路に接する自動車用の出入口から 3 メートル以内の道路の部分においては、駐車してはならない（道交法第 45 条第 1 項第 1 号）。

② 車両は、人の乗降、貨物の積卸し、駐車又は自動車の格納若しくは修理のため道路外に設けられた施設又は場所の道路に接する自動車用の出入口から5メートル以内の道路の部分においては、駐車してはならない。

③ 車両は、道路工事が行われている場合における当該工事区域の側端から5メートル以内の道路の部分においては、駐車してはならない。

④ 車両は、消防用機械器具の置場若しくは消防用防火水槽の側端又はこれらの道路に接する出入口から5メートル以内の道路の部分においては、駐車してはならない。

⑤ 車両は、交差点の側端又は道路の曲がり角から5メートル以内の道路の部分においては、法令の規定若しくは警察官の命令により、又は危険を防止するため一時停止する場合のほか、停車し、又は駐車してはならない。

⑥ 車両は、公安委員会が交通がひんぱんでないと認めて指定した区域を除き、法令の規定により駐車する場合に当該車両の右側の道路上に5メートル（道路標識等により距離が指定されているときは、その距離）以上の余地がないこととなる場所においては、駐車してはならない。

⑦ 車両は、踏切の前後の側端からそれぞれ前後に10メートル以内の道路の部分においては、法令の規定若しくは警察官の命令により、又は危険を防止するため一時停止する場合のほか、停車し、又は駐車してはならない。

過去問にチャレンジ！〉解答

② ×　5メートル以内ではなく、3メートル以内である。

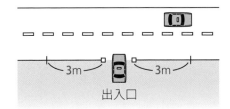

③ ○　道交法第45条第1項第2号のとおりである。

④ ○　道交法第45条第1項第3号のとおりである。

⑤ ○　道交法第44条第1項第2号のとおりである。

 ちょこっとアドバイス!!

問題文の末尾が「**駐車してはならない**」とあれば「**駐車**」禁止場所に関する問題、末尾が「**停車し、又は駐車してはならない**」とあれば「**駐停車**」禁止場所に関する問題と考えよう。

⑥ ×　5メートルではなく、3.5メートル以上の余地がないこととなる場所である。

⑦ ○　道交法第44条第1項第6号により正しい。

4

停車及び駐車の禁止

ROAD 5 運転者の義務等

重要度 🚗🚗🚗

合格への道　過労運転等に関する問題と、交通事故時の措置に関する問題をあわせると、ほぼ毎回出題されている重要項目である。ともに穴埋め問題でも出題されるため、しっかり押さえておくこと。

CHECK □ 1　酒気帯び運転、過労運転等の禁止（道交法第65条、第66条）

　何人も、酒気帯びの状態はもちろん、過労、病気、薬物の影響その他の理由（以下この項目では「過労運転等」とする）により、正常な運転ができないおそれがある状態で車両等を運転してはならない。

　また、何人も、酒気を帯びていて**酒気帯び運転の規定に違反して車両等を運転することとなるおそれがある者**に対し、車両等を提供してはならないし、酒気帯び運転のおそれがある者に対し、**酒類を提供し、飲酒をすすめてはならない。**

　さらに、何人も、車両（トロリーバス及び旅客自動車運送事業の用に供する自動車で当該業務に従事中のものその他の政令で定める自動車を除く）の**運転者が酒気を帯びていることを知りながら**、当該運転者に対し、当該車両を運転して**自己を運送する**ことを要求し、又は依頼して、当該運転者が**酒気帯び運転の規定に違反して運転する車両に同乗してはならない。**

　なお、酒気帯び運転の規定に違反した者で、身体に**血液1ミリリットルにつき0.3ミリグラム又は呼気1リットルにつき0.15ミリグラム以上**にアルコールを保有する状態にあった者は、3年以下の懲役又は50万円以下の罰金に処せられる。

ポイント　上記の酒気帯び運転に関する規定については、穴埋め問題で出題されることもある。赤字部分を覚えておけば対応できる。なお、**第1章**の「**運送法**」の分野で行われる「**点呼**」の際には、「血液1ミリリットルにつき0.3ミリグラム又は呼気1リットルにつき0.15ミリグラム以上」という**基準以下の酒気帯びであっても、その者に運転させてはならない。**

CHECK □ **2　過労運転に係る車両の使用者に対する指示（道交法第66条の2）**

　車両の運転者が**過労**により正常な運転ができないおそれがある状態で車両を運転する行為を**当該車両の使用者**（当該車両の運転者である者を除く）の**業務に関してした場合**において、使用者が過労運転を防止するため必要な運行の管理を行っていると認められないときは、当該車両の使用の本拠の位置を管轄する**公安委員会**は、当該車両の**使用者**に対し、過労運転が行われることのないよう運転者に**指導し又は助言する**ことその他過労運転を防止するため**必要な措置**をとることを指示することができる。

> 以上の赤字部分を問う穴埋め問題が本試験で出題される。今後も同様の問題が出題される可能性があるので、正確に押さえておこう。

CHECK □ **3　運転者の安全運転と遵守事項（道交法第70条、第71条等）**

　車両等の運転者は、当該車両等のハンドル、ブレーキその他の装置を確実に操作し、かつ、道路、交通及び当該車両等の状況に応じ、他人に危害を及ぼさないような速度と方法で運転しなければならない。そして、以下で紹介する事項を守らなければならない。

　数は多いがどれも常識的な事項なので、赤字部分を意識しつつ読んでおけば、試験でも対応できるであろう。

┌─ **主な運転者の遵守事項（道交法第55条、第71条等）** ─

①ぬかるみ又は水たまりを通行するときは、**泥よけ器を付け**、又は**徐行する**等で、泥土、汚水等を飛散させて他人に迷惑を及ぼさないようにする。
②**身体障害者用の車**が通行しているとき、また、道交法に基づく政令で定める程度の**身体障害者**が、**政令で定めるつえを携えて**通行していたり、**盲導犬を連れて通行**しているときなどは、**一時停止又は徐行**して、その**通行又は歩行を妨げない**ようにする。
③**高齢者、身体に障害のある歩行者**等で、通行に支障のある者が通行しているときは、**一時停止又は徐行**して、その**通行を妨げない**ようにする。

5
運転者の義務等

④児童、幼児等の乗降のため、道路運送車両法の保安基準に関する規定に定める非常点滅表示灯をつけて**停車している通学通園バス**（専ら小学校、幼稚園等に通う児童、幼児等を運送するために使用する自動車で政令で定めるもの）の側方を通過するときは、**徐行して安全を確認**する。

⑤道路の**左側部分**に設けられた**安全地帯の側方を通過**する場合、**当該安全地帯に歩行者がいる**ときは、**徐行する**こと。

⑥乗降口のドアを閉じ、貨物の積載を確実に行う等、当該車両等に乗車している者や積載物の転落、飛散を防ぐため必要な措置を講ずる。また、車両等の積載物が道路に転落・飛散したときは、速やかにその物を除去する等、道路における危険を防止するため必要な措置を講ずる。

⑦**安全を確認しないで、ドアを開き、又は車両等から降りないようにし**、及びその車両等に**乗車している他の者がこれらの行為により交通の危険を生じさせないようにするため必要な措置**を講ずること。

⑧**車両等を離れるときは、その原動機を止め、完全にブレーキをかける**等当該車両等が停止の状態を保つため必要な措置を講ずること。

⑨自動車又は原動機付自転車を離れるときは、その車両の装置に応じ、その車両が**他人に無断で運転されることがないようにする**ため必要な措置を講ずること。

⑩正当な理由がないのに、著しく他人に迷惑を及ぼすこととなる騒音を生じさせるような方法で、自動車若しくは原動機付自転車を**急に発進**させ、若しくはその**速度を急激に増加**させ、又は自動車若しくは原動機付自転車の原動機の動力を車輪に伝達させないで原動機の回転数を増加させないこと。

⑪自動車又は原動機付自転車（自動車等）を運転する場合においては、当該**自動車等が停止しているときを除き、携帯電話用装置**、自動車電話用装置その他の無線通話装置（その全部又は一部を手で保持しなければ送信及び受信のいずれをも行うことができないものに限る）を通話（傷病者の救護又は公共の安全の維持のため当該自動車等の走行中に**緊急やむを得ずに行うものを除く）のために使用し、又は当該自動車等に取り付けられ若しくは持ち込まれた画像表示用装置に表示された画像を注視しないこと。

〔以下、乗車にまつわる遵守事項〕
⑫当該車両について政令で定める**乗車人員又は積載物の重量、大きさ若しくは積載の方法の制限を超えて乗車**をさせ、又は**積載**をして車両を運転

してはならない。

⑬当該車両の**乗車のために設備された場所以外**の場所に**乗車**させ、又は乗車若しくは**積載のために設備された場所以外**の場所に**積載**して車両を運転してはならない。

⇒ただし、**もっぱら貨物を運搬する構造の自動車（貨物自動車）**で貨物を積載しているものは、**当該貨物を看守するため必要な最小限度の人員**をその荷台に乗車させて運転することができる。

⑭運転者の**視野**若しくはハンドルその他の装置の操作を妨げ、後写鏡の効用を失わせ、車両の安定を害し、又は**外部から当該車両の方向指示器、車両の番号標、制動灯、尾灯**若しくは**後部反射器を確認することができない**こととなるような**乗車**をさせ、又は**積載**をして車両を運転してはならない。

⑮法令等により当該自動車に備えなければならない**座席ベルトを装着しない**で自動車を運転してはならない。

⇒ただし、**疾病のため**座席ベルトを装着することが**療養上適当でない者**が自動車を運転するとき、緊急自動車の運転者が当該**緊急自動車を運転**するとき、その他政令で定めるやむを得ない理由（自動車を**後退させる場合**など）があるときは、**この限り**でない。

⑯座席ベルトを装着しない者を運転者席以外の乗車装置（当該乗車装置につき座席ベルトを備えなければならないこととされているものに限る）に乗車させて自動車を運転してはならない。

⇒ただし、幼児（適切に座席ベルトを装着させるに足りる座高を有するものを除く）を当該乗車装置に乗車させるとき、疾病のため座席ベルトを装着させることが療養上適当でない者を当該乗車装置に乗車させるとき、その他政令で定めるやむを得ない理由があるときは、この限りでない。

⑰**幼児用補助装置を使用しない幼児を乗車**させて自動車を運転してはならない。

⇒ただし、疾病のため幼児用補助装置を使用させることが療養上適当でない幼児を乗車させるとき、その他政令で定めるやむを得ない理由があるときは、この限りでない。

⇒この「**政令で定めるやむを得ない理由**」には、道路運送法第3条第1号に掲げる**一般旅客自動車運送事業の用**に供される自動車の運転者が当該事業に係る**旅客である幼児を乗車**させるとき（＝幼児用補助装置の使用は**不要**）がある。

5

運転者の義務等

4　負傷者の救護等の義務（道交法第72条）

　交通事故があった場合、当該車両の運転者その他の乗務員は、**直ちに車両等の運転を停止**して、**負傷者を救護**し、**道路における危険を防止**する等必要な措置を講じなければならない。

5　警察官への報告義務（道交法第72条）

　交通事故があった場合、当該車両の運転者（運転者が死亡し、又は負傷したためやむを得ないときは、その他の乗務員）は、**警察官が現場にいるときは当該警察官に、いないときは、直ちに最寄りの警察署の警察官に**、次の事項を**報告**しなければならない。なお、通報した警察官の指示に従うことは、当然のことである。

╭─ **交通事故があった場合、警察官に報告すべき事項** ─╮
│ ①事故の発生日時及び場所　②死傷者の数及び負傷者の負傷の程度
│ ③損壊した物及びその損壊の程度　④当該事故に係る車両等の積載物
│ ⑤当該事故について**講じた措置**
╰──────────────────────────╯

┌─ **ポイント** 〈**事故の原因**などは**含まれない**〉 ─┐
│ 運転者が警察官に報告すべき事項には、運転者の刑事責任を追及するに当たってその直接の証拠となりそうな事項（事故の原因など）は含まれていないことに注意。かかる報告義務が運転者に課されているのは、あくまでも**道路の危険防止**のためであって、運転者の刑事責任を追及するためではないからである。
└────────────────────────────────┘

6　自動車が停止した場合の表示等（道交法第75条の11、同法施行令第27条の6）

　故障等によって、自動車が**本線車道**若しくはこれに接する**加速車線、減速車線、登坂車線、これらに接する路肩や路側帯で運転できなくなった場合**、速やかに**当該自動車を本線車道等以外の場所に移動するため必要な措置**を講じなければならず、また、その状況を内閣府令で定める基準に適合する夜間用又は昼間用の**停止表示器材**によって、後方から進行してくる自動車の運転者が見やすい位置に置いて、**表示しなければならない**。

過去問にチャレンジ！

1　道路交通法及び道路交通法施行令に定める酒気帯び運転等の禁止等に関する次の文中、A、B、C に入るべき字句としていずれか正しいものを1つ選びなさい。

(1)　何人も、酒気を帯びて車両等を運転してはならない。
(2)　何人も、酒気を帯びている者で、(1)の規定に違反して車両等を運転することとなるおそれがあるものに対し、　A　してはならない。
(3)　何人も、(1)の規定に違反して車両等を運転することとなるおそれがある者に対し、酒類を提供し、又は飲酒をすすめてはならない。
(4)　何人も、車両（トロリーバス及び旅客自動車運送事業の用に供する自動車で当該業務に従事中のものその他の政令で定める自動車を除く。）の運転者が酒気を帯びていることを知りながら、当該運転者に対し、当該車両を運転して自己を運送することを要求し、又は依頼して、当該運転者が(1)の規定に違反して運転する　B　してはならない。
(5)　(1)の規定に違反して車両等（軽車両を除く。）を運転した者で、その運転をした場合において身体に血液1ミリリットルにつき0.3ミリグラム又は呼気1リットルにつき　C　ミリグラム以上にアルコールを保有する状態にあったものは、3年以下の懲役又は50万円以下の罰金に処する。

A　①　運転を指示　　②　車両等を提供
B　①　車両に同乗　　②　機会を提供
C　①　0.15　　　　②　0.25

・・

答
1　　A：②　B：①　C：①
　本問の(1)～(4)は、道交法第65条第1項から第4項の規定である。**空欄A**について、同条2項は、何人も、酒気を帯びている者で、前項の規定に違反して車両等を運転することとなるおそれがあるものに対し、**車両等を提供**してはならないと規定している。
　空欄Bについて、同条4項は、何人も、車両（トロリーバス及び旅客自動車運送事業の用に供する自動車で当該業務に従事中のものその他の政令で定める自動車を除く）の運転者が酒気を帯びていることを知りながら、当該運転者に対し、当該車両を運転して自己を運送することを要求し、又は依頼して、当該運転者が(1)の規定に違反して運転する**車両に同乗**してはならないと規定している。
　空欄Cについて、本問の(5)は、同法第117条の2の2第1項第3号及び同法施行令第44条の3の規定である。本問(1)の規定に違反して車両等（軽車両を除く）を運転した者で、その運転をした場合において身体に血液1ミリリットルにつき**0.3**ミリグラム又は呼気1リットルにつき**0.15**ミリグラム以上にアルコールを保有する状態にあったものは、3年以下の懲役又は50万円以下の罰金に処すると規定している。

② 自動車を運転する場合においては、当該自動車が停止しているときを除き、携帯電話用装置（その全部又は一部を手で保持しなければ送信及び受信のいずれをも行うことができないものに限る。）を通話（傷病者の救護等のため当該自動車の走行中に緊急やむを得ずに行うものを除く。）のために使用してはならない。

③ 自動車の運転者は、故障その他の理由により高速自動車国道等の本線車道若しくはこれに接する加速車線、減速車線若しくは登坂車線（以下「本線車道等」という。）において当該自動車を運転することができなくなったときは、政令で定めるところにより、当該自動車が故障その他の理由により停止しているものであることを表示しなければならない。ただし、本線車道等に接する路肩若しくは路側帯においては、この限りではない。

④ 自動車の運転者は、高速自動車国道に限り、法令で定めるやむを得ない理由があるときを除き、他の者を運転者席の横の乗車装置以外の乗車装置（当該乗車装置につき座席ベルトを備えなければならないこととされているものに限る。）に乗車させて自動車を運転するときは、その者に座席ベルトを装着させなければならない。

⑤ 車両等の運転者は、児童、幼児等の乗降のため、道路運送車両の保安基準に関する規定に定める非常点滅表示灯をつけて停車している通学通園バスの側方を通過するときは、徐行して安全を確認しなければならない。

⑥ 車両等の運転者は、高齢の歩行者でその通行に支障のあるものが通行しているときは、一時停止し、又は徐行して、その通行を妨げないようにしなければならない。

⑦ 道路運送法第3条第1号に掲げる一般旅客自動車運送事業の用に供される自動車の運転者が当該事業に係る旅客である幼児を乗車させるときは、幼児用補助装置を使用して乗車させなければならない。

⑧ 車両等の運転者は、身体障害者用の車が通行しているときは、その側方を離れて走行し、身体障害者用の車の通行を妨げないようにしなければならない。

〈過去問にチャレンジ！〉解答

▶ ② ○　道交法第 71 条第 5 号の 5 により正しい。

▶ ③ ×　自動車の運転者は、故障その他の理由により**本線車道**若しくはこれに接する**加速**車線、減速車線若しくは**登坂車線**（「本線車道等」という）又はこれらに接する**路肩**若しくは**路側帯**において、当該自動車を運転することができなくなったときは、政令で定めるところにより、当該自動車が故障その他の理由により停止しているものであることを表示しなければならない。本線車道等に接する路肩と路側帯も**含まれる**ため、**誤っている**。

▶ ④ ×　自動車の運転者は、法令で定めるやむを得ない理由があるときを除き、座席ベルトを装着しない者を運転者席以外の乗車装置（当該乗車装置につき座席ベルトを備えなければならないこととされているものに限る）に乗車させて自動車を運転してはならない。そして、この座席ベルトの装着義務は「高速自動車国道」に限られていない。

▶ ⑤ ○　道交法第 71 条第 2 号の 3 及び同法施行令第 26 条の 3 第 2 項により正しい。

▶ ⑥ ○　道交法第 71 条第 2 号の 2 により正しい。

▶ ⑦ ×　自動車の運転者は、原則として、幼児用補助装置を使用しない幼児を乗車させて自動車を運転して**は**ならない。ただし、**疾病**のため幼児用補助装置を使用させることが**療養上適当**でない幼児を乗車させるときなど、政令で定めるやむを得ない理由があるときは、この限りでない。そして、道路運送法第 3 条第 1 号に掲げる一般旅客自動車運送事業の用に供される自動車の運転者が当該事業に係る**旅客**である幼児を乗車させるときは「政令で定めるやむを得ない理由」に**該当**するため、本問では幼児用補助装置を使用する必要は**ない**。

▶ ⑧ ×　車両等の運転者は、身体障害者用の車が通行しているときは、**一時停止**し、又は**徐行**して、その通行又は歩行を妨げないようにしなければならない。「側方を離れて走行」しなければならないわけでは**ない**。

信号の意味と合図等

重要度

合格への道　信号の灯火の意味や、自動車の合図（ウインカー等）の時期は、それぞれ3回に1回くらいずつの頻度で出題される。運転免許証を持っている人は知っているはずの知識なので、復習がてらに確認しておこう。

CHECK
☐ **1　信号の意味等（道交法施行令第2条）**

　試験で出題される主な信号機の信号の種類と意味は、次の表のとおりである。特に黄色と赤色の灯火については、注意しておこう。

信号の種類	信号の意味
青色の灯火	・歩行者及び遠隔操作型小型車（遠隔操作により道路を通行しているものに限る、以下「歩行者等」という）は、進行することができる。 ・自動車、一般原動機付自転車（いわゆる二段階右折を行う一般原動機付自転車〔多通行帯道路等通行一般原動機付自転車〕を除く）等は、直進し、左折し、又は右折することができる。
黄色の灯火	・歩行者等は、道路の横断を始めてはならず、また、道路を横断している歩行者等は、速やかに、その横断を終わるか、又は横断をやめて引き返さなければならない。 ・車両等は、**停止位置を越えて**進行してはならない。 　ただし、黄色の灯火の信号が表示された時において**当該停止位置に近接**し、安全に停止することができない場合を**除く**。
赤色の灯火	・歩行者等は、道路を横断してはならない。 ・車両等は、**停止位置を越えて**進行してはならない。 ・交差点において**既に左折**している車両等は、**そのまま進行**することができる。 ・交差点において**既に右折**している車両等（多通行帯道路等通行一般原動機付自転車、特定小型原動機付自転車及び軽車両を除く）は、**そのまま進行**することができる。この場合、青色の灯火により進行できることとされている車両等の**進行妨害**をしてはならない。 ・交差点において**既に右折**している多通行帯道路等通行一般原動機付自転車、特定小型原動機付自転車及び軽車両は、その**右折**している地点において**停止**しなければならない。

青色の灯火の**矢印**	車両は、黄色又は赤色の灯火の信号にかかわらず、**矢印の方向に進行できる**。この場合、交差点で右折する多通行帯道路等通行一般原動機付自転車、特定小型原動機付自転車及び軽車両は、直進する多通行帯道路等通行一般原動機付自転車、特定小型原動機付自転車及び軽車両とみなす。
赤色の灯火の**点滅**	・歩行者等は、他の交通に注意して進行することができる。 ・車両等は、**停止位置**において**一時停止**しなければならない。
黄色の灯火の**点滅**	歩行者等及び車両等は、他の交通に**注意**して**進行**できる。

　なお、交差点において、信号機の下部等に、下図の左折することができる旨の表示がされた信号機の黄色又は赤色の灯火の信号の意味は、それぞれの信号により停止位置を越えて進行してはならないこととされている車両に対し、その車両が**左折**することができることを含む。

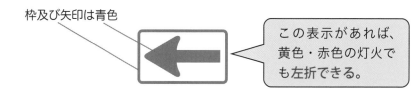

枠及び矢印は青色

この表示があれば、黄色・赤色の灯火でも左折できる。

CHECK

☐ 2　方向指示器等の合図の時期（道交法第 53 条、同法施行令第 21 条等）

　運転者は、**左折、右折、転回、徐行、停止、後退**又は同一方向に進行しながら進路を変えるとき（**進路変更**）は、**手、方向指示器（ウインカー）又は灯火により合図をし、**かつ、**これらの行為が終わるまで**当該合図を継続しなければならない（環状交差点における場合を除く）。それぞれの合図を行う時期は、次の表のとおりである。

合図を行う場合	合図を行う時期
左折	左折地点（交差点では、当該交差点の手前の側端）から 30 メートル手前の地点に達したとき。
右折又は転回	行為地点（交差点では、当該交差点の手前の側端）から 30 メートル手前の地点に達したとき。
進路変更（左右）	その行為をしようとする時の **3 秒前**。
徐行又は停止	その行為をしようとするとき。
後退	その行為をしようとするとき。

6

信号の意味と合図等

3 車両等の灯火（道交法第52条第1項、同法施行令第19条）

　車両等は、夜間（日没時から日出時までの時間）、道路にあるときは、政令で定めるところにより、前照灯、車幅灯、尾灯その他の灯火をつけなければならない。政令で定める場合は、夜間以外の時間でも同様である。

　また、車両は**トンネルの中、濃霧がかかっている場所**その他の場所で、視界が高速自動車国道及び自動車専用道路では200メートル、その他の道路においては50メートル以下である暗い場所を通行する場合及び当該場所に停車し、又は駐車している場合においては、前照灯、車幅灯、尾灯その他の灯火をつけなければならない。

━━━━━━━━━━(過去問にチャレンジ！ **問題**)━━━━━━━━━━

① 　車両の運転者が同一方向に進行しながら進路を左方又は右方に変えるときの合図を行う時期は、その行為をしようとする地点から30メートル手前の地点に達したときである。

② 　車両の運転者が左折又は右折するときの合図を行う時期は、その行為をしようとする地点（交差点においてその行為をする場合にあっては、当該交差点の手前の側端）から30メートル手前の地点に達したときである。（環状交差点における場合を除く。）

③ 　車両は、トンネルの中、濃霧がかかっている場所その他の場所で、視界が高速自動車国道及び自動車専用道路においては200メートル、その他の道路においては50メートル以下であるような暗い場所を通行する場合及び当該場所に停車し、又は駐車している場合においては、前照灯、車幅灯、尾灯その他の灯火をつけなければならない。

④ 　車両（自転車以外の軽車両を除く。）の運転者は、左折し、右折し、転回し、徐行し、停止し、後退し、又は同一方向に進行しながら進路を変えるときは、手、方向指示器又は灯火により合図をし、かつ、これらの行為が終わるまで当該合図を継続しなければならない。（環状交差点における場合を除く。）

CHECK
☐ **4 警音器の使用（道交法第54条）**

　車両等（自転車以外の軽車両を除く）の運転者は、左右の見とおしのきかない交差点、見とおしのきかない道路の曲がり角、又は見とおしのきかない上り坂の頂上で**道路標識**等により**指定**された場所を通行しようとするときは、警音器（クラクション）を鳴らさなければならない。

> **ポイント** **〈道路標識等の指定が必要！〉**
> 　上記のように、見とおしがきかない道路等…というだけで、警音器を鳴らす必要があるわけではない。注意しておこう。

〈過去問にチャレンジ！〉解答

① × その行為をしようとする地点から30メートル手前の地点に達したときではなく、その行為をしようとする時の3秒前である。

② ○ 道交法施行令第21条第1項により正しい。右左折の合図を行う時期もよく出題されるので、「**右左折は30メートル手前！**」と覚えておこう。上記の進路変更と右左折の合図のタイミングを押さえておけば、試験に対応できる可能性が高い。

③ ○ 道交法第52条第1項及び同法施行令第19条により正しい。

④ ○ 道交法第53条第1項及び第2項により正しい。

ROAD
7
自動車の使用者に対する通知

重要度

合格への道　条文がほぼそのままの形で出題され、空欄部分にあてはまる語句を問う穴埋め問題がたまに出題される。出題頻度は低いので、余力があれば、下記の説明の赤字のところをしっかりと押さえておこう。

CHECK □　使用者に対する通知（道交法第108条の34）

　車両等の**運転者**が道交法もしくは同法に基づく命令の規定又は同法の規定に基づく**処分**に違反した場合で、**当該違反**が当該違反に係る車両等の**使用者の業務に関してなされた**ものであると認めるときは、**公安委員会**は、当該車両等の使用者が道路運送法の規定による自動車運送事業者、貨物利用運送事業法の規定による第2種貨物利用運送事業を経営する者であるときは**当該事業者及び当該事業を監督する行政庁**に対し、これらの事業者以外の者であるときは、当該車両等の使用者に対し、**当該違反の内容を通知する**ものとする。

───（ 過去問にチャレンジ！ ）───

車両等の運転者が道路交通法令の規定に違反した場合の当該車両等の使用者に対する通知に関する次の文中、A・B・C・Dに入るべき字句の組合せとして、正しいものはどれか。

　車両等の運転者が道路交通法若しくは同法に基づく命令の規定又は同法の規定に基づく ｜ A ｜ に違反した場合において、当該違反が当該違反に係る車両等の使用者の ｜ B ｜ に関してなされたものであると認めるときは、｜ C ｜ は、内閣府令で定めるところにより、当該車両等の使用者が道路運送法の規定による自動車運送事業者、貨物利用運送事業法の規定による第二種貨物利用運送事業を経営する者であるときは当該事業者及び ｜ D ｜ に対し、当該違反の内容を通知するものとする。

	A	B	C	D
1.	処分	業務	公安委員会	当該事業を監督する行政庁
2.	条件	業務	警察署長	当該事業者の運行管理者
3.	条件	指示	警察署長	当該事業を監督する行政庁
4.	処分	指示	公安委員会	当該事業者の運行管理者

･･

答　1　上記の「使用者に対する通知」の説明参照。

運転免許

重要度

合格への道　免許や自動車の区分に関する出題頻度は上がっており、第 5 分野の事例問題を解くための前提知識にもなるので、少しややこしい話ではあるが押さえておきたい。

CHECK　1　運転免許の種類（道交法第 84 条）

　自動車及び一般原動機付自転車を運転しようとする者は、公安委員会の運転免許を受けなければならない。

　免許は、**第 1 種運転免許（第 1 種免許）、第 2 種運転免許（第 2 種免許）及び仮運転免許（仮免許）**に区分される。

　このうち、運行管理者の**旅客試験で問われる可能性**があるのは、**第 2 種免許**についてであり、**第 2 種免許**は、旅客自動車を旅客自動車運送事業に係る**旅客を運送する目的で運転するときに必要な免許**のことである。

　そこで、以下では、第 2 種免許のみ取り上げることにする。なお、第 2 種免許については、準中型免許という制度はない（準中型自動車を運転できるかという話は別）。

　第 2 種免許はさらに、**大型第 2 種免許、中型第 2 種免許、普通第 2 種免許、大型特殊第 2 種免許**及び**牽引第 2 種免許の 5 種類**に分けられる。

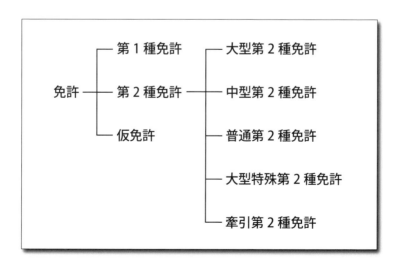

2 当該免許で運転できる自動車等の種類 （道交法第 86 条）

次の免許を受けた者は、次の表の種類の自動車等を運転することができる。

	大型自動車	中型自動車	準中型自動車	普通自動車
大型第 2 種免許	○	○	○	○
中型第 2 種免許	×	○	○	○
普通第 2 種免許	×	×	×	○

※大型特殊第 2 種免許以下は、試験に直接関係ないので省略。

上の表のとおり、**大型**免許を受けた者は「**中型自動車→準中型自動車→普通自動車**」、中型免許を受けた者は「**準中型自動車→普通自動車**」と、受けた免許より " **サイズの小さい自動車** " の運転ができる。

ただし、**大型**免許、**中型**免許（大型免許を現に受けている者を除く）、**準中型**免許（大型免許又は中型免許を現に受けている者を除く）を**受けた者**で、**21 歳に満たない者**又は**大型**免許、**中型**免許、**準中型**免許、**普通**免許若しくは**大型特殊**免許のいずれかを受けていた期間（当該免許の効力が停止されていた期間を除く）が通算して 3 年に達しない者は、政令で定める**大型**自動車、**中型**自動車又は**準中型**自動車を運転することができない。

※なお、「受験資格特例教習」を修了することにより、19 歳以上で、かつ、普通免許等を受けていた期間が 1 年以上あれば、大型免許、中型免許、第 2 種免許を取得することはできる。

 ちょこっとアドバイス !!

上記の話は道交法第 85 条第 5 項以降で細かく規定されているが、ここでは試験に必要な範囲を簡略化して述べている。細かい部分まで覚える必要はないが、試験対策上、取得した免許より「**サイズの小さい自動車**」の運転は可能だけれども、**21 歳以上でない者**、大型～普通免許のいずれかを受けていた期間が 3 年以上でない者は、大型～準中型自動車を運転できない、ということは押さえておこう。

CHECK □　3　各自動車の区分（道交法施行規則第 2 条）

　大型自動車、中型自動車、準中型自動車及び普通自動車は、車両総重量、最大積載量及び乗車定員によって次の図のように区分される。

最大積載量	車両総重量	区分	乗車定員 11 人　　　30 人		
			普通	中型	大型
— 6.5t	— 11t	大型		大型自動車（※ 1）	
— 4.5t	— 7.5t	中型	中型自動車（※ 2）		
— 2t	— 3.5t	準中型	準中型自動車（※ 3）		
		普通	普通自動車		

（※ 1）**大型自動車**　：**車両総重量が 11,000 キログラム（11t）以上、**
　　　　　　　　　　　　　最大積載量が 6,500 キログラム（6.5t）以上のもの、
　　　　　　　　　　　　　又は乗車定員が 30 人以上のもの

（※ 2）**中型自動車**　：**車両総重量が 7,500 キログラム（7.5t）以上 11,000 キログラム（11t）**
　　　　　　　　　　　　　未満のもの、最大積載量が 4,500 キログラム（4.5t）以上 6,500 キ
　　　　　　　　　　　　　ログラム（6.5t）未満のもの、

> この定員内なら中型になる。

　　　　　　　　　　　　　又は乗車定員が 11 人以上 29 人以下のもの

（※ 3）**準中型自動車**：**車両総重量が 3,500 キログラム（3.5t）以上、**
　　　　　　　　　　　　　7,500 キログラム（7.5t）未満のもの、
　　　　　　　　　　　　　又は最大積載量が 2,000 キログラム（2t）以上、
　　　　　　　　　　　　　4,500 キログラム（4.5t）未満のもの

（注）**普通自動車**は、上記のいずれにも該当しないものと考えればよい。

　ちょこっとアドバイス!!

平成 29 年 3 月 12 日に施行された「準中型自動車」という区分に関して、「**第1 種**」の「**免許**」については、「**準中型免許**」が新設されたが、「**第 2 種**」の「**免許**」では**新設されていない**。しかし、「**準中型**」の「**自動車**」という区分はある以上、「準中型自動車」も含めた形で紹介している。なお、**この自動車の区分は「道交法」**のもので、「**車両法**」における**車両の区分には、関係がない**。

8
運転免許

4 免許証の有効期間（道交法第 92 条の 2）

免許証の有効期間は、以下のとおりである。

区分	更新日等における年齢と有効期間の末日
優良運転者及び一般運転者	**70 歳未満**：満了日等の後のその者の 5 回目の誕生日から起算して 1 ヵ月を経過する日 　　　　　　　　　　　　　　　→ 5 年間と考えてよい。 **70 歳**：満了日等の後のその者の 4 回目の誕生日から起算して 1 ヵ月を経過する日 　　　　　　　　　　　　　　　→ 4 年間と考えてよい。 **71 歳以上**：満了日等の後のその者の 3 回目の誕生日から起算して 1 ヵ月を経過する日 　　　　　　　　　　　　　　　→ 3 年間と考えてよい。
違反運転者等	満了日等の後のその者の 3 回目の誕生日から起算して 1 ヵ月を経過する日 　　　　　　　　　　　　　　　→ 3 年間と考えてよい。

5 免許証の有効期間の更新（道交法第 101 条、第 101 条の 4 等）

免許証の有効期間の更新（免許証の更新）を受けようとする者は、道交法第 101 条の 2 第 1 項に規定される場合を除き、当該免許証の**有効期間が満了する日の直前のその者の誕生日の 1 ヵ月前から**当該免許証の**有効期間が満了する日までの間（更新期間）**に、その者の住所地を管轄する公安委員会に内閣府令で定める様式の更新申請書を提出しなければならない。

なお、免許証の更新を受けようとする者で**更新期間が満了する日における年齢が 70 歳以上の者**（当該講習を受ける必要がないものとして政令で定める者を除く）は、**更新期間が満了する日前 6 ヵ月以内に**、その者の住所地を管轄する都道府県公安委員会が行った**「高齢者講習」**を受けていなければならない。

^{CHECK} ☐ 6　免許の取消し、停止（道交法第 103 条）

　免許（仮免許を除く）を受けた者が、次のいずれかに該当することとなったときは、その者の住所地を管轄する**公安委員会**は、点数制度による処分に基づかない場合であっても、その者の**免許**を取り消し、又は **6 ヵ月を超えない**範囲内で期間を定めて免許の効力を**停止**することができる。

免許取消し・免許停止事由

①次の病気にかかっている者であることが判明したとき

　イ　幻覚の症状を伴う**精神病**であって政令で定めるもの

　ロ　発作により**意識障害**又は**運動障害**をもたらす病気であって政令で定めるもの

　ハ　イ及びロに掲げるもののほか、自動車等の安全な運転に支障を及ぼすおそれがある病気として政令で定めるもの

②**認知症**であることが判明したとき

③**目が見えないこと**その他自動車等の安全な運転に支障を及ぼすおそれがある身体の障害として政令で定めるものが生じている者であることが判明したとき

④**アルコール、麻薬、大麻、あへん又は覚醒剤の中毒者**であることが判明したとき

⑤運転することが**著しく道路における交通の危険**を生じさせるおそれがあるとき

⑥自動車等の運転に関し**道交法**もしくは同法に基づく命令の規定又は同法の規定に基づく処分に**違反**したとき　―など

　また、上記の事由に加えて、免許を受けた者が、次ページのいずれかに該当することとなったときは、**公安委員会**は、その者の**免許を取り消す**ことができる（免許の停止はできない）。

免許取消し事由

①自動車等の運転により**人を死傷**させ、又は故意に**建造物を損壊**させる行為をしたとき

②**危険運転致死傷罪**にあたる行為をしたとき

③**酒気帯び運転**などをしたとき

④交通事故があった場合に、**負傷者の救護等**の義務を行わなかったとき
　―など

 ちくしょー！（危険運転致死傷罪）、
酒飲み（酒気帯び）師匠（死傷）が、壊して（損壊）、救護。

CHECK □　**7　免許の効力の仮停止（道交法第 103 条の 2）**

　免許を受けた者が自動車等の運転に関し次のいずれかに該当することとなったときは、その者が当該交通事故を起こした場所を管轄する**警察署長**は、その者に対し、当該交通事故を起こした日から起算して **30 日**を経過する日を終期とする**免許の効力の停止**（以下「仮停止」という）をすることができる。

　警察署長は、仮停止をしたときは、当該処分をした日から起算して **5 日**以内に、当該処分を受けた者に対し**弁明の機会**を与えなければならない。

免許の仮停止事由

①交通事故を起こして人を死亡させ、又は傷つけた場合に、**負傷者の救護等の義務を行わなかった**とき

②酒気帯び運転などによって**交通事故を起こして人を死亡させ、又は傷つ**けたとき　―など

 免許の仮停止期間は「30 日」である。しっかり押さえておこう。

過去問にチャレンジ！

① 大型免許を受けた者であって、21 歳以上かつ普通免許を受けていた期間（当該免許の効力が停止されていた期間を除く。）が通算して 3 年以上のものは、車両総重量が 11,000 キログラム以上のもの、最大積載量が 6,500 キログラム以上のもの又は乗車定員が 30 人以上の大型自動車を運転することができる。

② 中型免許を受けた者であって、21 歳以上かつ普通免許を受けていた期間（当該免許の効力が停止されていた期間を除く。）が通算して 3 年以上のものは、車両総重量が 7,500 キログラム以上 11,000 キログラム未満のもの、最大積載量が 4,500 キログラム以上 6,500 キログラム未満のもの又は乗車定員が 30 人の中型自動車を運転することができる。

③ 免許を受けた者が自動車等を運転することが著しく道路における交通の危険を生じさせるおそれがあるときは、その者の住所地を管轄する公安委員会は、点数制度による処分に至らない場合であっても運転免許の停止処分を行うことができる。

・・・

答

① ○　大型免許を受けた者は、大型自動車を運転することができる。ただし、**大型・中型・準中型自動車**については、21 歳以上であり、かつ、普通以上の免許を受けていた期間（当該免許の効力が停止されていた期間を除く）が通算して 3 年以上でなければならない。本問ではこの要件も満たしている。

② ×　上記 1 の解説から、本問も正しいと思えるかもしれないが、「乗車定員が 30 人」である場合、それは中型自動車ではない。よって、本問は「乗車定員が 30 人の中型自動車を運転することができる」としている部分が誤っている。

 ちょこっとアドバイス!!

本問は少し変わった問題だ。つまり一見して、いかなる要件で、いかなる自動車の運転ができるかを問う問題に見えるものの、最終的には「**中型自動車の区分**」の部分で正誤が決まる。
ややイレギュラーな問題ではあるため、今後も同様の問題が出題されるかは不明だが、このような出題もありうることは意識しておこう。

③ ○　免許を受けた者が自動車等を運転することが著しく道路における交通の危険を生じさせるおそれがあるとき、その者の住所地を管轄する公安委員会は、点数制度による処分に至らない場合であっても、その者の運転免許を**取り消し**、又は、**6 ヵ月を超えない範囲内**で期間を定めて、免許の効力の停止処分を行うことができる。

④　運転免許証の有効期間の更新期間は、道路交通法第 101 条の 2 第 1 項に規定する場合を除き、更新を受けようとする者の当該免許証の有効期間が満了する日の直前のその者の誕生日の 1 ヵ月前から当該免許証の有効期間が満了する日までの間である。

⑤　運転免許証の有効期間については、優良運転者であって更新日における年齢が 70 歳未満の者にあっては 5 年、70 歳以上の者にあっては 3 年である。

⑥　免許証の更新を受けようとする者で更新期間が満了する日における年齢が 70 歳以上のもの（当該講習を受ける必要がないものとして法令で定める者を除く。）は、更新期間が満了する日前 6 ヵ月以内にその者の住所地を管轄する都道府県公安委員会が行った「高齢者講習」を受けていなければならない。

⑦　運転免許を受けた者に対し仮停止をするときの期間は、当該交通事故を起こした日から起算して 60 日を経過する日までとする。

⑧　免許を受けた者が自動車等の運転に関し、当該自動車等の交通による人の死傷があった場合において、道路交通法第 72 条（交通事故の場合の措置）第 1 項前段の規定（直ちに車両等の運転を停止して、負傷者を救護し、道路における危険を防止する等必要な措置を講じなければならない。）に違反したときは、その者が当該違反をしたときにおけるその者の住所地を管轄する公安委員会は、その者の免許を取り消すことができる。

⑨　道路交通法第 65 条（酒気帯び運転等の禁止）第 1 項の規定（何人も、酒気を帯びて車両等を運転してはならない。）に違反して自動車等を運転した者で、その運転をした場合において酒に酔った状態にあったものが、交通事故を起こしたときは、当該交通事故の発生場所を管轄する警察署長は、事故による死者又は負傷者がない場合であっても、その者に対し、免許の効力の仮停止をすることができる。

⑩　警察署長は免許を受けた者に対し免許の効力の仮停止をしたときは、当該処分をした日から起算して 5 日以内に、当該処分を受けた者に対し弁明の機会を与えなければならない。

──〈 過去問にチャレンジ！〉解答 ──

➡ ④　○　道交法第101条第1項により正しい。

➡ ⑤　×　運転免許証の有効期間については、**優良運転者であって更新日**における年齢が**70歳未満の者**にあっては5年、**70歳の者**にあっては4年、**71歳以上の者**にあっては3年である。70歳以上の者をすべて3年としている点で、本問は誤っている。

➡ ⑥　○　道交法第101条の4第1項及び第108条の2第1項第12号により正しい。

➡ ⑦　×　仮停止をするときの期間は、当該交通事故を起こした日から起算して「30日」である。

➡ ⑧　○　道交法第103条第2項第4号により正しい。

➡ ⑨　×　酒気帯び運転により交通事故を起こした場合、免許の仮停止をすることができるのは、事故による**死傷者**があったときである。よって、「事故による死者又は負傷者がない場合」にはできない。

➡ ⑩　○　道交法第103条の2第2項により正しい。

8
運転免許

ROAD 9

道路標識に関する命令等

合格への道 出題頻度は低く、内容も易しい。易しい問題だけに出題時は得点したいので、念のため、試験直前に確認しておこう。

CHECK 道路標識に関する命令

次の道路標識について、その指示内容をしっかり押さえておこう。

道路標識	指示内容
青 追越し禁止	自動車は、他の自動車（軽車両は除く）を**追越し**てはならない。
青 5.5t	**車両総重量**が 5,500 キログラムを超える自動車は通行できない。
青	**二輪の自動車**（側車付きを含む）**以外**は通行することができない。
青	**大型乗用自動車**等は通行できない（※）。

ポイント （※）規制対象には、乗車定員 11 人以上 29 人以下で、専ら人を運搬する構造のもの（特定中型乗用自動車）も含まれる。

	駐停車禁止。上部の「8-20」は、「**8時から20時まで**」を意味する。
	車両は、8時から20時までの間は駐車してはならない。 ⇒「駐停車」禁止ではないので注意する。なお、「停車」のみを禁止する道路標識は**ない**。
	幅2.2メートルまでの自動車は**通行**することが**できる**。
	道路における車両の通行につき、**一定の方向**にする通行が禁止される道路において、車両がその禁止される方向に向かって**進入**することができない。
	車両は**横断**（道路外の施設又は場所に出入りするための左折を伴う**横断を除く**）をしてはならない。
	**大型貨物自動車**、**大型特殊自動車**及び**特定中型貨物自動車**は最も左側の**車両通行帯**を通行しなければならない。
	自動車を運転する場合において、この標識が表示されている自動車は、**聴覚障害のある方**が運転していることを示している。 ⇒危険防止のためやむを得ない場合を除き、進行する当該車両へ**側方の幅寄せ**、**割込み**をしてはならない。

9
道路標識に関する命令等

次の説明と標識が正しいものには○を、誤りには×をつけよ。

① 乗車定員が 18 人の中型乗用自動車は通行することができる。

青

「道路標識、区画線及び道路標示に関する命令」に定める様式
文字及び記号を青色、斜めの帯及び枠を赤色、縁及び地を白色とする。

② 下の道路標識は、「車両は、8 時から 20 時までの間は停車してはならない。」ことを示している。

青

「道路標識、区画線及び道路標識に関する命令」に定める様式
斜めの帯及び枠を赤色、文字及び縁を白色、地を青色とする。

③ 自動車を運転する場合において、下図の標識が表示されている自動車は、肢体不自由である者が運転していることを示しているので、危険防止のためやむを得ない場合を除き、進行している当該表示自動車の側方に幅寄せをしてはならない。

道路交通法施行規則で定める様式
縁の色彩は白色
マークの色彩は黄色
地の部分の色彩は緑色

・・・

答

① ×　本問の道路標識は、**大型乗用自動車等通行止め**の標識だが、「**乗車定員が 18 人の中型乗用自動車**」は「**特定中型自動車**」（最大積載量 5 トン以上 6.5 トン未満、車両総重量 8 トン以上 11 トン未満、乗車定員 11 人**以上 29 人以下**）に当たり、**大型乗用自動車等に含まれる**ため、**通行できない**。

② ×　本問の道路標識は「**駐車**」禁止の標識であり、「**停車**」禁止ではない。なお、「停車のみ」を禁止する道路標識はないので注意しておこう。

③ ×　本問の標識は、聴覚障害者に関するものである。肢体不自由である者に関する標識は、右のものである。

道路交通法施行規則で定める様式
縁の色彩は白色
マークの色彩は白色
地の部分の色彩は青色

第4章

労基法関係

第4章　労基法関係

ROAD 1　労働条件等

重要度

合格への道　労働条件等についてはあまり出題されず、難度も低い。ただし、出題された場合は、易しい問題であるだけに落とすと痛い。ポイントで挙げた内容をしっかりと押さえておこう。

労基法第1条〜第7条の労働条件等に関する内容は以下のとおりである。

CHECK □　1　労働条件の原則（労基法第1条）

労働条件は、労働者が人たるに値する生活を営むための必要を充たすべきものでなければならない。

そして、**労基法で定める労働条件の基準は最低のものであり、労働関係の当事者は、この基準を理由として労働条件を低下させてはならないこと**はもとより、その**向上を図るように努めなければならない**。

CHECK □　2　労働条件の決定（労基法第2条）

労働条件は、**労働者と使用者が、対等の立場**において決定すべきものである。

労働者及び使用者は、労働協約、就業規則及び労働契約を遵守し、誠実に各々その義務を履行しなければならない。

ポイント　〈遵守と義務の履行は使用者、労働者ともに〉
労働協約、就業規則等の遵守及び義務の履行は、**使用者だけではなく労働者の義務でもある**ことに注意。

CHECK □　3　均等待遇（労基法第3条）

使用者は、労働者の国籍、信条又は社会的身分を理由として、賃金、労働時間その他の労働条件について、差別的取扱いをしてはならない。

CHECK □　4　男女同一賃金の原則（労基法第4条）

使用者は、労働者が女性であることを理由として、賃金について、男性と差別的取扱いをしてはならない。

□ CHECK **5　強制労働の禁止（労基法第 5 条）**

使用者は、暴行、脅迫、監禁その他精神又は身体の自由を不当に拘束する手段によって、労働者の意思に反して**労働を強制してはならない**。

□ CHECK **6　中間搾取の排除（労基法第 6 条）**

何人も、法律に基づいて許される場合のほか、業として他人の就業に介入して利益を得てはならない。

□ CHECK **7　公民権行使の保障（労基法第 7 条）**

使用者は、労働者が労働時間中に、選挙権その他公民としての権利を行使し、又は公の職務を執行するために必要な時間を請求した場合には、**拒んではならない**。ただし、権利の行使又は公の職務の執行に妨げがない限り、請求された時刻を変更することができる。

 ちょこっとアドバイス !!

以上の各説明の語尾には「〜に努めなければならない」というパターンと、「〜しなければならない」「〜してはならない」というパターンの 2 つがある。前者は、**努力義務**といわれるもので、まさに**努力さえ行えばよく**、結果として、**仮に違反しても罰則の適用はない**のに対し、後者は**法的義務**で、**違反すると罰則が適用される**ことがある。

───[**過去問にチャレンジ！**]───

① 法で定める労働条件の基準は最低のものであるから、労働関係の当事者は、当事者間の合意がある場合を除き、この基準を理由として労働条件を低下させてはならないことはもとより、その向上を図るように努めなければならない。

② 使用者は、労働者の国籍、信条又は社会的身分を理由として、賃金、労働時間その他の労働条件について、差別的取扱をしないように努めなければならない。

•••

答
① ✕　労基法で定める労働条件の基準を理由として労働条件を低下させることは、当事者間の合意があったとしても**許されない**。

② ✕　差別的取扱いは「してはならない」。

1　労働条件等

合格への道　定義については、選択肢の1つとして問われるが、「平均賃金」について出題されることが多い。出題頻度は高くはないが、少なくとも「労働者」と「平均賃金」は押さえておこう。

CHECK □ 定義（労基法第9条〜第12条）

本試験でよく問われる主な用語の定義は次のとおり。

■ 主な用語の定義 ■

用語	定義
労働者	職業の種類を問わず、**事業又は事務所に使用される者**で、**賃金を支払われる者**
使用者	**事業主又は事業の経営担当者**その他その事業の労働者に関する事項について、事業主のために行為をするすべての者
賃金	賃金、給料、手当、賞与その他名称の如何を問わず、**労働の対償として使用者が労働者に支払うすべてのもの**
平均賃金	これを算定すべき事由の発生した日以前**3ヵ月間にその労働者に対し支払われた賃金の総額**を、**その期間の総日数で除した金額** なお、この金額は、法令の規定によって計算した金額を下回ってはならない

ポイント　〈平均賃金の計算式は覚えよう！〉

平均賃金は、過去3ヵ月間の**賃金総額**をその期間の**総日数**で除した金額であることに注意。

$$平均賃金 = \frac{賃金総額（過去3ヵ月間）}{総日数（過去3ヵ月間）}$$

割る日数は「所定労働日数」ではない！

過去問にチャレンジ！

① 「労働者」とは、職業の種類及び賃金の支払いの有無を問わず、事業又は事務所（以下「事業」という。）に使用されるすべての者をいう。

② 「使用者」とは、事業主又は事業の経営担当者その他その事業の労働者に関する事項について、事業主のために行為をするすべての者をいう。

③ 平均賃金とは、これを算定すべき事由の発生した日以前3ヵ月間にその労働者に対し支払われた賃金の総額を、その期間の所定労働日数で除した金額をいう。

④ 賃金とは、賃金、給料、手当、賞与その他名称の如何を問わず、労働の対償として使用者が労働者に支払うすべてのものをいう。

・・

答

① × 「労働者」は、賃金を支払われる者でなければならない。

② ○ 労基法第10条のとおりである。

③ × 「所定労働日数」ではなく、「総日数」で除した金額である。

$$平均賃金 = \frac{賃金総額（過去3ヵ月間）}{総日数（過去3ヵ月間）}$$

④ ○ 労基法第11条のとおりである。

 ちょこっとアドバイス!!

労働者に関して、使用者は満16歳以上の男性を交替制で使用する場合や法令で定める場合を除いて、**満18歳に満たない者を午後10時～午前5時の間に使用してはならない。**

2
定義

ROAD 3　労働契約

重要度

労働契約については、特に「2　労働契約の期間」と「3　労働条件の明示」についてが、選択肢の1つとしてよく出題される。この2つは押さえておくこと。

CHECK □　1　労基法違反の契約（労基法第13条）

　労基法で定める基準に達しない労働条件を定める労働契約は、その部分については無効とする。この場合、無効となった部分は、労基法で定める基準による。

　労基法で定める基準に達しない労働条件を定める労働契約は、全体として無効ではなく、**基準に達しない部分のみが無効になる。**

CHECK □　2　労働契約の期間（労基法第14条）

　労働契約は、期間の定めのないものを除き、**一定の事業の完了に必要な期間を定めるもの**のほかは、**3年**（労基法第14条第1項各号のいずれかに該当する労働契約にあっては**5年**）を超える期間について、**締結してはならない。**

CHECK □　3　労働条件の明示（労基法第15条）

　使用者は、労働契約の締結に際し、**労働者に対して賃金、労働時間その他の労働条件を明示しなければならない。**この場合、賃金及び労働時間に関する事項その他の厚生労働省令で定める事項については、厚生労働省令で定める方法により明示しなければならない。

　この**明示された労働条件が事実と相違する場合**には、労働者は、即時に労働契約を解除することができる。

〈**労働契約の解除は労働者**〉
　労働条件が事実と相違することを理由に労働契約を解除できるのは、労働者であることに注意。

CHECK
□ 4　賠償予定の禁止（労基法第 16 条）

　使用者は、**労働契約の不履行について違約金を定め**、又は**損害賠償額を予定する契約をしてはならない**。この点について、**例外規定は**ない。

CHECK
□ 5　強制貯金（労基法第 18 条）

　使用者は、労働契約に附随して**貯蓄の契約をさせ**、又は**貯蓄金を管理**する契約をしてはならない。ただし、労働者の委託があれば、貯蓄金の管理をすることができる（社内預金など）。

　使用者は、労働者の貯蓄金をその委託を受けて管理しようとする場合には、当該事業場に、労働者の過半数で組織する労働組合があるときはその労働組合、労働者の過半数で組織する労働組合がないときは労働者の過半数を代表する者との**書面**による**協定**をし、これを**行政官庁に届け出**なければならない。

―――[過去問にチャレンジ！]―――

① 　労働契約は、期間の定めのないものを除き、一定の事業の完了に必要な期間を定めるもののほかは、1 年を超える期間について締結してはならない。

② 　労働者は、労働契約の締結に際し使用者から明示された賃金、労働時間その他の労働条件が事実と相違する場合においては、少くとも 30 日前に使用者に予告したうえで、当該労働契約を解除することができる。

・・

答
① 　×　労働契約は、期間の定めのないものを除き、一定の事業の完了に必要な期間を定めるもののほかは、**3 年**（労基法第 14 条第 1 項（契約期間等）各号のいずれかに該当する労働契約にあっては **5 年**）を超える期間について締結してはならない。

② 　×　労働者は、労働契約の締結に際し使用者から明示された賃金、労働時間その他の労働条件が事実と相違する場合においては、**即時に**当該労働契約を解除することができる。「少くとも 30 日前に使用者に予告」する必要は**ない**。

3

労働契約

解雇、退職

重要度 ♣♣♣

合格への道 全体として出題頻度は高い。特に「1 解雇の制限」は頻出である。全体を通じて、「〇〇日」という日数部分に注意しよう。

CHECK
□ 1 解雇の制限（労基法第19条）

使用者は、**労働者が業務上負傷**し、又は**疾病にかかり療養のために休業する期間及びその後30日間**並びに**産前産後の女性**が労基法第65条の規定によって**休業する期間及びその後30日間**は、**解雇してはならない**。

ただし、使用者が、労基法第81条の規定によって**打切補償を支払う場合**又は**天災事変その他やむを得ない事由**のために**事業の継続が不可能**となった場合は、この限りでない。

つまり、使用者は、**労働者が仕事で負傷したり、病気で休んだ期間、産前産後のお休みをする期間とこれらの後30日間は、解雇できない**。疾病等で休んだことを理由に解雇されてしまうと、体調が悪いのに無理して仕事をしてしまうことになるからだ。

しかし、業務上の負傷・疾病に対する療養の補償後、長期間たっても回復しない場合で、打切補償を行ったケースや、天災等により経営が立ち行かなくなったような場合にまで、解雇制限を貫くのは使用者に酷なので、**例外も定められている**ということである。

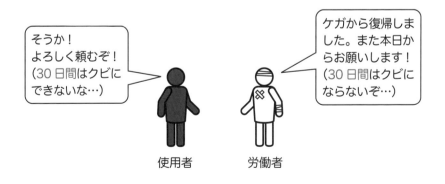

そうか！
よろしく頼むぞ！
（30日間はクビにできないな…）

ケガから復帰しました。また本日からお願いします！
（30日間はクビにならないぞ…）

使用者　　労働者

□CHECK **2　解雇の予告（労基法第20条、第21条）**

　使用者は労働者を**解雇しようとする場合**には、少なくとも**30日前**にその予告をしなければならないのが原則である。

　ただし、この30日前の**解雇予告をせずに、労働者を解雇する**ことも例外的に認められている。この場合、使用者は**30日分以上の平均賃金**を支払わなければならない。

　なお、この**解雇の予告**に関する規定は、「日日雇い入れられる者」、「2ヵ月以内の期間を定めて使用される者」、「季節的業務に4ヵ月以内の期間を定めて使用される者」又は「試の使用期間中の者」については、それぞれ法に定める所定の期間を超えて、引き続き使用されるに至った場合を除き、適用されない。

　また、**天災事変などやむを得ない事由のために事業の継続が不可能**となった場合や、**労働者の責に帰す事由で解雇**する場合は、上記の**予告や平均賃金の支払なくして解雇できる。**

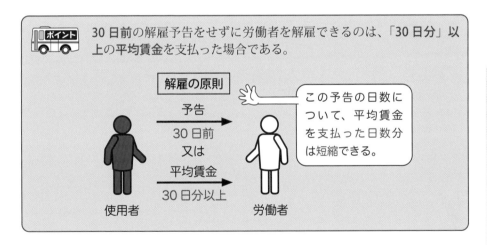

ポイント　30日前の解雇予告をせずに労働者を解雇できるのは、「30日分」以上の平均賃金を支払った場合である。

解雇の原則

予告　30日前
又は
平均賃金　30日分以上

使用者　　　　　労働者

この予告の日数について、平均賃金を支払った日数分は短縮できる。

□CHECK **3　退職時等の証明（労基法第22条）**

　労働者が、退職の場合において、使用期間、業務の種類、その事業における地位、賃金又は退職の事由（退職の事由が解雇の場合には、その理由を含む）について**証明書を請求した場合**には、**使用者は、遅滞なくこれを交付しなければならない。**

4 金品の返還（労基法第23条）

　使用者は、労働者の死亡又は退職の場合において、権利者の請求があった場合には、7日以内に賃金を支払わなければならないほか、積立金、保証金、貯蓄金その他名称の如何を問わず、労働者の権利に属する金品を返還しなければならない。

───────────┤ 過去問にチャレンジ！ ├───────────

①　使用者は、労働者を解雇しようとする場合においては、法第20条の規定に基づき、少なくとも14日前にその予告をしなければならない。14日前に予告をしない使用者は、14日分以上の平均賃金を支払わなければならない。

②　法第20条（解雇の予告）の規定は、法に定める期間を超えない限りにおいて、「日日雇い入れられる者」、「2ヵ月以内の期間を定めて使用される者」、「季節的業務に4ヵ月以内の期間を定めて使用される者」又は「試の使用期間中の者」のいずれかに該当する労働者については適用しない。

③　使用者は、労働者が業務上負傷し、又は疾病にかかり療養のために休業する期間及びその後6週間並びに産前産後の女性が法第65条（産前産後）の規定によって休業する期間及びその後6週間は、解雇してはならない。

④　労働者が、退職の場合において、使用期間、業務の種類、その事業における地位、賃金又は退職の事由（退職の事由が解雇の場合にあっては、その理由を含む。）について証明書を請求した場合においては、使用者は、遅滞なくこれを交付しなければならない。

••

答
①　×　使用者が労働者を解雇しようとする場合、原則として、少なくとも30日前にその予告をしなければならない。この予告をしない使用者は、**30日分以上の**平均賃金を支払わなければならない。

②　○　労基法第21条のとおりである。

③　×　解雇してはならない期間は6週間ではなく、**30日間**である。

④　○　労基法第22条第1項により正しい。

第4章 労基法関係

ROAD 5 賃金

重要度 ★

合格への道　賃金は、選択肢の1つとして出題されるが、その出題頻度は低い。この中では、時間外労働と休日労働のケースの割増賃金がよく出題されるので、ここは押さえておくこと。

CHECK □ 1 賃金支払の原則（労基法第24条、第27条）

賃金は、臨時に支払われる賃金、賞与その他これに準ずるもので厚生労働省令で定める賃金を除き、**毎月1回以上、一定の期日を定めて支払わなければならない**。なお、**出来高払制や請負制の労働者**についても、使用者は、労働時間に応じて、**一定額の賃金の保障**をしなければならない。

CHECK □ 2 時間外、休日及び深夜の割増賃金（労基法第37条）

使用者が、労基法の規定により**労働時間を延長し**（時間外労働）、又は**休日に労働させた**（休日労働）**場合**には、通常の労働時間又は労働日の賃金の計算額の**2割5分以上5割以下**の範囲内で、下記のように、それぞれ政令で定める率以上の率で計算した**割増賃金**を支払わなければならない。

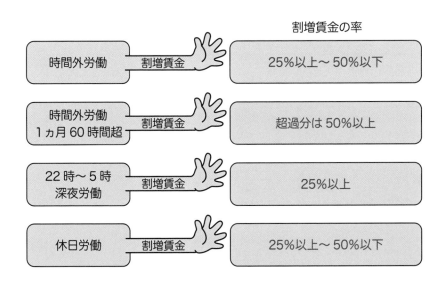

割増賃金の率

時間外労働	割増賃金	25%以上～50%以下
時間外労働 1ヵ月60時間超	割増賃金	超過分は50%以上
22時～5時 深夜労働	割増賃金	25%以上
休日労働	割増賃金	25%以上～50%以下

※政令では、休日労働についての割増賃金率の最低率は35%と規定されているが、本試験では25%～50%を基準として出題されている。

CHECK □ 3 労働関係書類の保存期間（労基法第109条）

　これは賃金に限る話ではないが、使用者は、労働者名簿、賃金台帳及び雇入れ、解雇、災害補償、賃金その他労働関係に関する重要な書類を5年間（当分の間は3年間）保存しなければならない。

─────────────── 過去問にチャレンジ！ ───────────────

① 　使用者が、法の規定により労働時間を延長し、又は休日に労働させた場合においては、その時間又はその日の労働については、通常の労働時間又は労働日の賃金の計算額の2割5分以上5割以下の範囲内でそれぞれ政令で定める率以上の率で計算した割増賃金を支払わなければならない。ただし、当該延長して労働させた時間が1ヵ月について60時間を超えた場合においては、その超えた時間の労働については、通常の労働時間の賃金の計算額の5割以上の率で計算した割増賃金を支払わなければならない。

② 　使用者は、労働者名簿、賃金台帳及び雇入、解雇、災害補償、賃金その他労働関係に関する重要な書類を1年間保存しなければならない。

③ 　出来高払制その他の請負制で使用する労働者については、使用者は、労働時間にかかわらず一定額の賃金の保障をしなければならない。

∙∙

答
① 　○ 　労基法第37条第1項のとおりである。

② 　× 　労働関係に関する重要な書類の保存期間は、5年間（当分の間は3年間）である。なお、「5年間（当分の間は3年間）」という部分は、令和2年4月1日施行の改正点だが、施行から5年経過した時点で検討するものとされている。どちらにせよ「1年間」ではない。

③ 　× 　出来高払制その他の請負制で使用する労働者については、使用者は、労働時間に応じて、一定額の賃金の保障をしなければならない。「労働時間にかかわらず」ではない。

ROAD 6 休憩、休日、年次有給休暇等

重要度

> **合格への道** 休憩、休日、年次有給休暇はほぼ毎回出題されている最重要項目の1つである。ポイントで示した数字部分に特に注意すること。

CHECK 1 労働時間（労基法第32条、第32条の2、第36条等）

使用者は、原則として、労働者に、**休憩時間を除き1週間について40時間を超えて、労働させてはならない。**また、1週間の各日については、休憩時間を除き1日について8時間を超えて、労働させてはならない。

┌─ **労働時間（原則）** ─

・1週間について→ **40時間**まで。ただし、休憩時間を除く。
・1日について→ **8時間**まで。ただし、休憩時間を除く。

　ただし、当該事業場に、**労働者の過半数で組織する労働組合**がある場合においてはその労働組合、この労働組合がない場合においては**労働者の過半数を代表する者との書面による協定**を行い、使用者がその協定を行政官庁に**届け出た場合**、又は就業規則等によって、1ヵ月以内の一定の期間を平均して、1週間あたりの労働時間が所定の労働時間（1週間につき40時間）を超えない定めをしたときは、特定された週において、上記の**法定労働時間を超えて、また休日に、労働させることができる。**

　なお、坑内労働や法令上、**健康上特に有害**と定められている**業務の労働時間の延長**は、1日について2時間を超えてはならない。また、**事業場を異にする場合**においても、**労働時間に関する規定の適用**については、労働時間は通算することとされている。

> **補足** 使用者が**時間外労働、休日労働の協定**をする場合、**その労働をさせる必要のある具体的事由、業務の種類、労働者の数、延長時間、労働させる休日**について協定をしなければならない（労基法第36条、同法施行規則第16条第1項）。

2　災害等による臨時の時間外労働（労基法第 33 条第 1 項、第 2 項）

　災害その他避けることのできない事由によって、臨時の必要がある場合、使用者は、行政官庁の許可を受けて、その必要の限度において、法定労働時間を延長し、又は休日に労働させることができる。

　なお、事態急迫（とても急ぎ）のために、行政官庁の許可を受ける暇がない場合、事後に遅滞なく届け出なければならない。この届出があった場合において、行政官庁がその労働時間の延長又は休日の労働を不適当と認めるときは、その後にその時間に相当する休憩又は休日を与えるべきことを、命ずることができる。

3　休憩（労基法第 34 条）

　使用者は、少なくとも次の休憩時間を労働時間の途中に与えなければならない。

> **休憩時間**
>
> ・労働時間が 6 時間を超える場合→ 45 分
> ・労働時間が 8 時間を超える場合→ 1 時間

> **ポイント**　休憩時間について、「6 時間を超えるときは 45 分」「8 時間を超えるときは 1 時間」という数字をしっかり押さえること。

4　休日（労基法第 35 条）

　使用者は、4 週間を通じ 4 日以上の休日を与える場合を除き、労働者に対して、毎週少なくとも 1 回の休日を与えなければならない。

> **ポイント**　現在、多くの企業で週休 2 日制が採用されているが、労基法上の最低条件は週休 1 日（原則）である。

■休日付与の例■

毎週1回（4日）の休日例			
日月火水木金土	日月火水木金土	日月火水木金土	日月火水木金土
休	休	休	休
4週4回（4日）の休日例			
日月火水木金土	日月火水木金土	日月火水木金土	日月火水木金土
休休		休休	

^{CHECK} ☐ **5　年次有給休暇（労基法第39条）**

　使用者は、その雇入れの日から起算して**6ヵ月間継続勤務**し、**全労働日の8割以上出勤**した労働者に対して、**継続し、又は分割した10労働日の有給休暇を与えなければならない**（同条第1項）。ただし、1週間の所定労働日数が相当程度に少ない労働者等は除かれる（同条第3項）。

　なお、使用者は、有給休暇を**労働者の請求**する時季に与えなければならない。ただし、**請求**された**時季**に有給休暇を与えることが**事業の正常な運営を妨げる場合**においては、**他の時季にこれを与えることができる**（同条第5項）。

　また、労働者が**業務上負傷し又は疾病**にかかり、**療養のために休業した期間**及び労働者の福祉に関する法律に定める**育児休業や介護休業をした期間**は、**年次有給休暇取得のための出勤率の算定上、これを出勤したものとみなす**（同条第10項）。

> 🚌 **ポイント**　**〈年休取れる条件は6・8・10で覚えよう〉**
> 「**10労働日**」の年次有給休暇が与えられるのは、雇入れの日から起算して「**6ヵ月間**」継続勤務し、全労働日の「**8割以上**」出勤した場合である。

君は半分以上、休んでるじゃん！（8割以上の出勤がない）

勤めはじめて、6ヵ月たったから有給休暇を10日間ください！

使用者　　労働者

1　使用者は、労働時間が 6 時間を超える場合においては少くとも 30 分、8 時間を超える場合においては少くとも 45 分の休憩時間を労働時間の途中に与えなければならない。

2　使用者は、4 週間を通じ 8 日以上の休日を与える場合を除き、労働者に対して、毎週少なくとも 2 回の休日を与えなければならない。

3　使用者は、その雇入れの日から起算して 3 ヵ月間継続勤務し全労働日の 8 割以上出勤した労働者に対して、継続し、又は分割した 10 労働日の有給休暇を与えなければならない。

4　使用者は、災害その他避けることのできない事由によって、臨時の必要がある場合においては、行政官庁の許可を受けて、その必要の限度において法に定める労働時間を延長し、又は休日に労働させることができる。ただし、事態急迫のために行政官庁の許可を受ける暇がない場合においては、事後に遅滞なく届け出なければならない。

5　労働者が業務上負傷し、又は疾病にかかり療養のために休業した期間及び育児休業、介護休業等育児又は家族介護を行う労働者の福祉に関する法律に定める育児休業又は介護休業をした期間は、年次有給休暇（労働基準法第 39 条）取得のための出勤率の算定上、これを出勤したものとみなす。

∙∙

答

1　×　労働時間が 6 時間を超える場合は少なくとも **45 分**、8 時間を超える場合は少なくとも **1 時間**の休憩時間を与えなければならない。

2　×　使用者が、4 週間を通じ **4 日**以上の休日を与える場合を除き、労働者に対して毎週少なくとも与えなければならない休日の回数は、**原則 1 回**である。

3　×　労働者が 10 日間の有給休暇がもらえるようになるのは、雇入れの日から **6 ヵ月間継続勤務**することが必要である。

4　○　労基法第 33 条第 1 項のとおりである。

5　○　労基法第 39 条第 10 項のとおりである。

第4章 労基法関係

ROAD 7 就業規則

重要度

> **合格への道** 就業規則はあまり出題されないが、選択肢単位ではなく、1つの問題として出題されることがある。難度はさほど高くなく、各項目のポイントを押さえておけば試験対策は十分であろう。

CHECK ☐ 1 作成及び届出の義務（労基法第89条）

　常時10人以上の労働者を使用する使用者は、次の事項について就業規則を作成し、行政官庁に届け出なければならない。変更した場合も同様である。

就業規則の記載事項

①始業及び終業の時刻、休憩時間、休日、休暇並びに労働者を2組以上に分けて交替に就業させる場合においては就業時転換に関する事項

②賃金（臨時の賃金等を除く）の決定、計算及び支払の方法、賃金の締切り及び支払の時期並びに昇給に関する事項

③退職に関する事項（解雇の事由を含む）

④退職手当の定めをする場合には、適用される労働者の範囲、退職手当の決定、計算及び支払の方法並びに退職手当の支払の時期に関する事項

⑤臨時の賃金等（退職手当を除く）及び最低賃金額の定めをする場合には、これに関する事項

⑥労働者に食費、作業用品その他の負担をさせる定めをする場合には、これに関する事項

⑦安全及び衛生に関する定めをする場合には、これに関する事項

⑧職業訓練に関する定めをする場合には、これに関する事項

⑨災害補償及び業務外の傷病扶助に関する定めをする場合には、これに関する事項

⑩表彰及び制裁の定めをする場合には、その種類及び程度に関する事項
　　—など

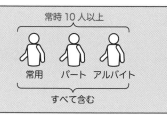

就業規則を作成する義務があるのは、「常時10人以上」の労働者を使用する使用者である。

常時10人以上

常用　パート　アルバイト

すべて含む

CHECK □ **2　作成の手続（労基法第90条）**

　使用者は、就業規則の作成又は変更について、次の者の意見を聴かなければならない。

① 当該事業場に、労働者の過半数で組織する労働組合がある場合 ➡ その労働組合

② 当該事業場に、労働者の過半数で組織する労働組合がない場合 ➡ 労働者の過半数を代表する者

事業場に労働組合がある場合だけでなく、**組合がない場合**にも、労働者（労働者の過半数を代表する者）の意見を聴かなければならないことに注意。

同意ではない！　意見を聴かなければならないのだ!!

CHECK □ **3　制裁規定の制限（労基法第91条）**

　就業規則で、労働者に対して減給の制裁を定める場合には、その減給は、1回の額が平均賃金の1日分の半額を超え、総額が1賃金支払期における賃金の総額の10分の1を超えてはならない。

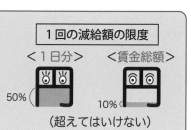

許される減給の幅をしっかり押さえよう。1回の額は「平均賃金の1日分の半額」まで、その総額は1賃金支払期における賃金総額の「10分の1」までである。

1回の減給額の限度

＜1日分＞　　＜賃金総額＞

50%　　　　10%

（超えてはいけない）

CHECK
☐ **4　法令及び労働協約との関係（労基法第 92 条）**

　就業規則は、法令又は当該事業場について適用される労働協約に反してはならない。就業規則が**法令又は労働協約に抵触する場合**には、行政官庁はその変更を命ずることができる。

CHECK
☐ **5　就業規則等の周知義務（労基法第 106 条）**

　使用者は、労基法及びこれに基づく命令の要旨、就業規則、時間外労働・休日労働に関する協定等を、常時各作業場の見やすい場所へ掲示し、又は備え付けること、書面を交付することその他の厚生労働省令で定める方法によって、労働者に周知させなければならない。

───────────┤ 過去問にチャレンジ！ ├───────────

① 　常時 5 人以上の労働者を使用する使用者は、始業及び終業の時刻、休憩時間、休日、休暇に関する事項等法令で定める事項について就業規則を作成し、行政官庁に届け出なければならない。

② 　使用者は、就業規則の作成又は変更について、当該事業場に、労働者の過半数で組織する労働組合がある場合においてはその労働組合、労働者の過半数で組織する労働組合がない場合においては労働者の過半数を代表する者と協議し、その内容について同意を得なければならない。

③ 　就業規則で、労働者に対して減給の制裁を定める場合においては、その減給は、1 回の額が平均賃金の 1 日分の半額を超え、総額が一賃金支払期における賃金の総額の 10 分の 1 を超えてはならない。

・・・

〔答〕
① 　×　就業規則を作成する義務があるのは、常時「10 人以上」の労働者を使用する使用者である。

② 　×　使用者は、就業規則の作成又は変更について、労働者の過半数で組織する労働組合がある場合はその労働組合、それがない場合は労働者の過半数を代表する者の**意見を聴く**必要がある。

③ 　○　労基法第 91 条により正しい。

7
就業規則

合格への道　労基法等で定められる健康診断は、比較的近年から出題されはじめたテーマだ。今後の出題可能性も高いので、ここで紹介する話は押さえておこう。

CHECK □ 1　健康診断総論（労働安全衛生法第66条、第66条の4、第66条の8、労働安全衛生規則第51条、第51条の4）

事業者は、労働者に対し、厚生労働省令で定めるところにより、医師による健康診断を行わなければならない。運転者等の健康状態を把握するためである。

この健康診断には様々な種類があるが、試験でよく出題されるのは「**定期**」健康診断、「**雇入れ時**」の健康診断、「**深夜業**」に従事する労働者に対する健康診断についてであるため、これらの健康診断について確認する。

なお、これら健康診断の**種類の区別なく、事業者は、**この健康診断の結果に基づき、健康診断個人票を作成し、**5年間保存**しなければならず、健康診断を受けた**労働者に対しては、**遅滞なく、当該健康診断の結果を通知しなければならない。

また、事業者は、**健康診断の結果**（当該健康診断の項目に異常の所見があると診断された労働者に係るものに限る）に基づき、**当該労働者の健康を保持するために必要な措置**について、厚生労働省令で定めるところにより、医師又は歯科医師の意見を聴かなければならない。

さらに事業者は、その労働時間の状況その他の事項が労働者の健康の保持を考慮して、厚生労働省令で定める要件に該当する**労働者からの申出**があったときは、**遅滞なく、当該労働者に対し、**厚生労働省令で定めるところにより、**医師による面接指導**を行わなければならない。

CHECK □ 2　定期健康診断（労働安全衛生規則第44条）

事業者は、**常時使用する労働者**（深夜業を含む業務等に常時従事する労働者を除く）に対して、**1年以内ごとに1回、定期に、**労働安全衛生規則で定める項目について、**医師による健康診断**を行わなければならない。1年以内ごとの定期に行われるので、定期健康診断といわれる。

CHECK ☐ 3　雇入れ時の健康診断（労働安全衛生規則第43条）

　事業者は、常時使用する労働者を雇い入れるときは、当該労働者に対して、労働安全衛生規則に定める**既往歴及び業務歴の調査等**の項目について、**医師による健康診断を行わなければならない**。

　ただし、医師による健康診断を受けた後、**3ヵ月を経過しない者**を雇い入れる場合において、その者が**当該健康診断の結果を証明する書面を提出**したときは、その項目に相当する項目は**省略できる**。

CHECK ☐ 4　深夜業を含む業務等に従事する者の健康診断（労働安全衛生規則第45条、第51条の2）

　事業者は、**深夜業を含む業務等に常時従事する労働者**に対し、当該業務への**配置替えの際及び6ヵ月以内ごとに1回、定期に**、労働安全衛生規則に定める所定の項目について、**医師による健康診断を行わなければならない**。

　深夜業を含む業務等に常時従事する労働者も、**自ら受けた健康診断の結果を証明する書面を事業者に提出**することができ、この場合、その**健康診断の結果**（当該健康診断の項目に**異常の所見がある**と診断された労働者に係るものに限る）に基づく**医師からの意見聴取は、書面が提出された日から2ヵ月以内**に行わなければならない。この意見聴取について、**通常の場合は3ヵ月以内**であることと区別しておこう。

8
健康診断

────────────

── 過去問にチャレンジ！ ──

① 　事業者は、事業者が行う健康診断を受けた労働者から請求があった場合に限り、当該労働者に対し、規則で定めるところにより、当該健康診断の結果を通知するものとする。

② 　事業者は、深夜業を含む業務等に常時従事する労働者に対し、当該業務への配置替えの際及び6ヵ月以内ごとに1回、定期に、労働安全衛生規則に定める所定の項目について医師による健康診断を行わなければならない。

③ 　事業者は、事業者が行う健康診断を受けた労働者に対し、遅滞なく、当該健康診断の結果を通知しなければならない。

④ 　事業者は、常時使用する労働者を雇い入れるときは、当該労働者に対し、労働安全衛生規則に定める既往歴及び業務歴の調査等の項目について医師による健康診断

を行わなければならない。ただし、医師による健康診断を受けた後、3ヵ月を経過しない者を雇い入れる場合において、その者が当該健康診断の結果を証明する書面を提出したときは、当該健康診断の項目に相当する項目については、この限りでない。

⑤　事業者は、労働安全衛生規則で定めるところにより、深夜業に従事する労働者が、自ら受けた健康診断の結果を証明する書面を事業者に提出した場合において、その健康診断の結果（当該健康診断の項目に異常の所見があると診断された労働者に係るものに限る。）に基づく医師からの意見聴取は、当該健康診断の結果を証明する書面が事業者に提出された日から4ヵ月以内に行わなければならない。

⑥　事業者は、常時使用する労働者（労働安全衛生規則（以下「規則」という。）に定める深夜業を含む業務等に常時従事する労働者を除く。）に対し、1年以内ごとに1回、定期に、規則に定める項目について医師による健康診断を行わなければならない。また、この健康診断の結果に基づき、健康診断個人票を作成し、5年間保存しなければならない。

⑦　事業者は、業務に従事する運転者に対し法令で定める健康診断を受診させ、その結果に基づいて健康診断個人票を作成して5年間保存している。また、運転者が自ら受けた健康診断の結果を提出したものについても同様に保存している。

・・・

答
①　×　健康診断の結果は、その請求があったか否かにかかわらず、遅滞なく、当該労働者に通知しなければならない。

②　○　労働安全衛生規則第45条第1項のとおりである。

③　○　労働安全衛生規則第51条の4のとおりである。

④　○　労働安全衛生規則第43条のとおりである。

⑤　×　事業者は、深夜業に従事する労働者が、自ら受けた健康診断の結果を証明する書面を事業者に提出した場合、その結果（当該健康診断の項目に異常の所見があると診断された労働者に係るものに限る）に基づく医師からの意見聴取は、当該健康診断の結果を証明する書面が事業者に提出された日から2ヵ月以内に行わなければならず、4ヵ月以内ではない（労働安全衛生規則第51条の2第2項第1号）。

⑥　○　労働安全衛生規則第44条第1項及び第51条のとおりである。

⑦　○　労働安全衛生規則第44条第1項及び第51条から適切な対応である。

ROAD 9　改善基準とタクシー運転者の拘束時間 　重要度

合格への道　「改善基準の目的」と「タクシー運転者の1日の拘束時間」は、2回に1回くらいの頻度で、どちらかが出題されている。出題される際は1問分として出題されるので、どちらも押さえておきたい内容だ。

CHECK □ 1 　改善基準の全体像と目的規定（改善基準第1条）

　改善基準は、自動車の運転業務に従事する者の**労働時間等**について基準を定め、その**労働条件の向上**を図ることを目的とする規定である。この基準は全6条分しかないが、まずは出題箇所の全体像を確認しておく。

◆ 改善基準の全体像（出題箇所）

> 1条：目的規定
> 2条1項：一般乗用旅客自動車（タクシー等）の運転者の拘束時間等
> 　　　2項：隔日勤務に就く、一般乗用旅客自動車（タクシー等）の運転者
> 　　　　　の拘束時間等
> 5条：バス運転者の拘束時間等　→200ページより解説

　初学者の人は「改善基準」の学習を始めた際に混乱するかもしれない。その理由として、**タクシー等とバスの運転者に対する規定が異なり**、さらに**タクシー等では、隔日勤務か否かでも規定が異なる**からだ。要するに、**ケースバイケースの規定が準備されている**ので、今はどのケースの話なのかを確認しながら学習を進めよう。

　なお、「拘束時間」と後ほど出てくる「運転時間」の話は別なので、この点も区別しておくこと。そして、**このROAD9で解説**するのは、**第1条の目的規定**と、**第2条で規定されるタクシー運転者の拘束時間**である。

　では内容に入ろう。改善基準の**第1条には、次の目的規定が規定されている**。この目的規定については、穴埋め問題が出題されるので、赤字部分は押さえておくこと。

◆ 改善基準の目的規定（第1条第1項、第2項の抜粋）

> 　この基準は、自動車運転者（労基法第9条に規定する労働者で、四輪以上の自動車の運転の業務〔厚生労働省労働基準局長が定めるものを除く〕に、主として従事する者をいう）の労働時間等の改善のための基準を定めることで、**自動車運転者の労働時間等の労働条件の向上を図る**ことを目的とする。
>
> 　労働関係の当事者は、この基準を理由として自動車運転者の労働条件を低下させてはならないことはもとより、その向上に努めなければならない。

CHECK □ 2　タクシー運転者の1日の拘束時間（改善基準第2条第1項）

　ここでの話は「隔日勤務ではない」「タクシー等の運転者」に対する「拘束時間」等の規定についてだ。問題文に「隔日勤務に就く…以外のもの」というキーワードを見つけたら、この話と考えてよい。これを意識してもらうために、次ページの過去問では目立たせておく（本試験では、このようになっていない）。

　一般乗用旅客自動車（**タクシー等**）の運転者の1日（始業時刻から起算して24時間）の拘束時間は、以下のとおりである。なお、原則として、**勤務終了後、継続9時間以上の休息期間**を与えなければならない。

◆ タクシー運転者の1日の拘束時間

> 原　則：13時間を超えない。
>
> 例外①：延長する場合は15時間まで。
>
> 例外②：車庫待ち等の運転者は、次の要件の範囲内で延長できる。
> 　　イ　勤務終了後、継続20時間以上の休息期間を与える。
> 　　ロ　1日の拘束時間が16時間を超える回数は、1ヵ月について7回以内とする。
> 　　ハ　1日の拘束時間が18時間を超える場合には、夜間4時間以上の仮眠時間を与える。
> 　　ニ　1回の勤務における拘束時間が、24時間を超えない。

過去問にチャレンジ！

「自動車運転者の労働時間等の改善のための基準」に定める一般乗用旅客自動車運送事業に従事する自動車運転者（隔日勤務に就く運転者及びハイヤーに乗務する運転者以外のもの。）の拘束時間及び休息期間についての次の文中、A、B、C に入るべき字句としていずれか正しいものを 1 つ選びなさい。

　　1 日（始業時刻から起算して 24 時間をいう。以下同じ。）についての拘束時間は、13 時間を超えないものとし、当該拘束時間を延長する場合であっても、1 日についての拘束時間の限度（最大拘束時間）は、　A　とすること。ただし、車庫待ち等の自動車運転者について、次に掲げる要件を満たす場合には、この限りでない。

イ　勤務終了後、継続　B　以上の休息期間を与えること。
ロ　1 日についての拘束時間が 16 時間を超える回数が、1 ヵ月について 7 回以内であること。
ハ　1 日についての拘束時間が　C　を超える場合には、夜間 4 時間以上の仮眠時間を与えること。
ニ　1 回の勤務における拘束時間が、24 時間を超えないこと。

A　1．15 時間　　　　　　　2．16 時間
B　1．9 時間　　　　　　　2．20 時間
C　1．18 時間　　　　　　　2．20 時間

📝　A：1　B：2　C：1
　　前ページの「◆タクシー運転者の 1 日の拘束時間」参照。

 ちょこっとアドバイス‼

タクシー運転者の 1 日の拘束時間の問題、別の言い方をすると、一般乗用旅客自動車運送事業に従事する自動車運転者（**隔日勤務に就く運転者及びハイヤーに乗務する運転者以外**）の拘束時間及び休息期間に関する問題は、**上記のような穴埋め問題ばかりが出題されている**。よって、本問を解けるようになっていれば、改善基準第 2 条第 1 項に関しては、大丈夫であろう。なお、問題は紹介していないが、**「改善基準の目的規定」**についても穴埋め問題で出題されるので、そちらも押さえておくこと。

ROAD 10　隔日勤務に就くタクシー運転者の拘束時間

重要度

合格への道　「隔日勤務に就く」「タクシー運転者の拘束時間」は、近年の出題頻度が減少している。しかし、出題時は1問分として出題され、押さえておかないと全く対応できないので、できれば押さえておきたい。

CHECK　改善基準の全体像と目的規定（改善基準第2条第2項、第4項）

　改善基準は、**一般乗用旅客自動車（タクシー等）の運転者**であって、「**隔日勤務に就く**」ものの拘束時間及び休息期間について、以下のとおり規定している。

◆ タクシー等の運転者で「隔日勤務に就く」ものの拘束時間及び休息期間

> ①拘束時間
> **2暦日**について、**22時間**まで
> かつ、**2回の隔日勤務の平均が21時間を超えない**ようにする。
> > ⇒車庫待ち等の自動車運転者については、夜間4時間以上の仮眠時間を与えることで、1ヵ月について労使協定で定める回数（7回以内）に限り、24時間まで延長できる。
>
> **1ヵ月**について、**262時間**まで
> > ⇒地域的事情その他の特別の事情がある場合で、**労使協定**があれば、**1年のうち6ヵ月までは270時間まで延長**できる。
>
> ②**休息期間**については、**勤務終了後、継続22時間以上**を与える。
>
> ③なお、隔日勤務であるか否かを問わず、一般乗用旅客自動車運送事業に従事する運転者に対して、**休日に労働させる場合、労働させる休日は2週間について1回を超えない**ようにする。

　書いてしまえばこれだけであり、難しい内容ではない。これがどのような形で問われ、どのように解答すべきかは問題を見たほうが早いので、次ページの過去問を確認しつつ、上記知識の使い方を身に付けてほしい。

過去問にチャレンジ！

下表は、一般乗用旅客自動車運送事業の隔日勤務に従事する自動車運転者の1ヵ月の勤務状況の例を示したものであるが、「自動車運転者の労働時間等の改善のための基準」に定める拘束時間等に照らし、次の1〜4の中から違反していない事項を全て選びなさい。なお、車庫待ち等はないものとし、また、「1ヵ月についての拘束時間の延長に関する労使協定」及び「時間外労働及び休日労働に関する労使協定」があり、下表の1ヵ月は、当該協定により1ヵ月についての拘束時間を延長することができる月に該当するものとする。

日付	1日	2日	3日	4日	5日	6日	7日	8日	9日	10日	11日	12日	13日	14日	15日
勤務等状況	労働日		労働日		労働日		休日	労働日		労働日		労働日		休日	労働日
拘束時間（時間）	19		21		22		—	20		22		19			20
始業・終業時刻	8時〜3時		8時〜5時		8時〜6時			9時〜5時		8時〜6時		9時〜4時			9時〜5時

日付	16日	17日	18日	19日	20日	21日	22日	23日	24日	25日	26日	27日	28日	29日	30日	1ヵ月（1日〜30日）間の拘束時間計
勤務等状況	労働日		労働日		労働日		休日	労働日		労働日		労働日		休日	休日	
拘束時間（時間）	20		19		21		—	22		20		19		—	—	
始業・終業時刻	8時〜4時		9時〜4時		6時〜3時			9時〜7時		9時〜5時		9時〜4時				264 時間

(注) 1．協定における時間外労働及び休日労働の起算日は、1日とする。
2．1日の前日は休日とする。
3．拘束時間と次の拘束時間の間は、休息期間とする。
4．時刻の表記は24時間制とする。

1．2暦日についての拘束時間
2．休息期間
3．労働基準法第35条の休日に労働させる回数
4．1ヵ月の拘束時間

10

隔日勤務に就くタクシー運転者の拘束時間

・・

🈺 2、3、4

1．**違反している** タクシー等の運転者で隔日勤務に就くものの拘束時間は、2暦日について22時間まで、かつ、2回の隔日勤務の平均が21時間を超えてはならない。本肢の3日〜4日と5日〜6日の平均は21.5時間であり、同規定に違反している。

2．**違反していない** タクシー等の運転者で隔日勤務に就くものの拘束時間については、勤務終了後、継続22時間以上の休息期間を与える。本肢では、同規定に違反している箇所はない。

3．**違反していない** 使用者は、一般乗用旅客自動車運送事業に従事する自動車運転者に休日に労働させる場合、当該労働させる休日は2週間について1回を超えないものとする。本肢では、同規定に違反している箇所はない。

4．**違反していない** タクシー等の運転者で隔日勤務に就くものの拘束時間については、1ヵ月について262時間、労使協定等があるとき、1年のうち6ヵ月までは270時間までを超えてはならない。本肢では、労使協定があり、1ヵ月の拘束時間は264時間なので、改善基準に違反していない。

ROAD 11　バス運転者の拘束時間

重要度

> **合格への道**　ほぼ毎回出題されている最重要項目である。出題パターンは、具体例を挙げて改善基準に違反しているかどうかを問うものが中心で、基準違反かどうか、短時間で判断できるようにしておく必要がある。

CHECK☐ 1　バス運転者の1週間あたりの拘束時間（改善基準第5条第1項第1号）

　改善基準は、一般**貸切**旅客自動車運送事業や一般**乗合**旅客自動車運送事業に従事する自動車運転者（バス運転者）の拘束時間について制限を設けている。同基準が定めるバス運転者の1週間あたりの拘束時間は次のとおり。

> **バス運転者の1週間あたりの拘束時間**
>
> | 原則 | 4週間を平均し65時間まで、かつ、52週間について3,300時間まで |
> |---|---|
> | 例外 | 貸切バス等の運転者等について、拘束時間の延長に関する**労使協定**があるときは、52週間のうち24週間までは、4週間を平均し68時間まで延長可能、かつ、52週間について3,400時間まで延長可能 |
>
> ただし、65時間超の拘束時間は、連続16週間まで

CHECK☐ 2　バス運転者の1日についての拘束時間（同条項第3号）

　改善基準は、バス運転者の1日についての拘束時間についても次の制限を設けている。

> **バス運転者の1日についての拘束時間**
>
> | 原則 | 13時間まで |
> |---|---|
> | 例外 | 15時間まで延長可能 |
>
> ※ただし、1日についての拘束時間が14時間を超える回数をできるだけ少なくするように努める。

> 　次ページで述べるとおり、**翌日の始業時間が当日の始業時間より早いときは、その早い分だけ当日の拘束時間に加える**ことに注意。

■ 拘束時間の計算例 ■

$\Big($ 月曜日の**始業時刻**が 8 時、終業時刻が 23 時、

火曜日の**始業時刻**が 7 時、終業時刻が 23 時の場合 $\Big)$

➡ 火曜日の始業時刻が月曜日の始業時刻より **1 時間早い**から、その分を月曜日の拘束時間に加える。

月曜日の拘束時間：23 時－ 8 時＋ 1 時間＝ 16 時間

そして、**この 1 時間は、火曜日の拘束時間でもカウントされる。**つまり、火曜日の拘束時間は 23 時－ 7 時＝ 16 時間となり、7 時から 8 時の 1 時間は月曜と火曜で**二重に**カウントされることとなる。

CHECK □ 3　バス運転者の休息期間（同条第 1 項第 4 号、同条第 2 項）

バス運転者には勤務終了後、継続 9 時間以上の**休息期間**を与えなければならない。

そして、運転者の**住所地**における休息期間が、それ以外の場所における休息期間よりも**長くなる**ように**努めるもの**とする。

やっぱり地元のほうが休まるな〜♪　ＺＺＺ

（私も休もう…）

ここで 200 ページ以降の「2　バス運転者の 1 日についての拘束時間」と前記の休息期間の具体例をあげると、次ページのようになる。

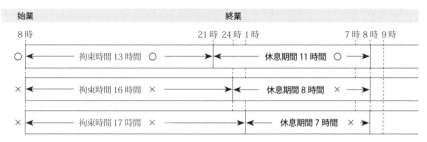

■ 1 日の拘束時間と休息期間の例 ■

CHECK ☐ 4 改善基準の特例 (同条第 4 項)

バス運転者に関しては、以下のような改善基準の特例がある。

(1) 休息期間の特例

使用者は、**業務の必要上、バス運転者**(隔日勤務に就く運転者以外のもの)に**勤務終了後、継続 9 時間以上の休息期間を与えることが困難**な場合には、**当分の間、一定期間(1 ヵ月を限度とする)における全勤務回数の 2 分の 1 を限度**に、休息期間を拘束時間の途中及び拘束時間の経過直後の 2 回に**分割して与えることができる。**

この場合、**分割された休息期間**は、1 日(始業時刻から起算して 24 時間をいう)において、**1 回あたり継続 4 時間以上、合計 11 時間以上でなければならない。**

(2) 2 人乗務の特例

使用者は、**バス運転者**(隔日勤務に就く運転者以外のもの)が**同時に 1 台の事業用自動車に 2 人以上乗務**する場合(車両内に**身体を伸ばして休息する**ことができる設備がある場合に**限る**)、次に掲げるところにより、**最大拘束時間を延長し、休息期間を短縮**することができる。

イ 当該設備がバス運転者等の専用の座席であり、かつ、厚生労働省労働基準局長が定める要件を満たす場合は、**最大拘束時間を 19 時間まで延長し、休息期間を 5 時間まで短縮**することができるものとする。

ロ 当該設備としてベッドが設けられている場合その他バス運転者等の休息

のための措置として厚生労働省労働基準局長が定める措置が講じられている場合は、**最大拘束時間を 20 時間まで延長**し、**休息期間を 4 時間まで短縮**することができるものとする。

（3）隔日勤務の特例

　使用者は、**業務の必要上やむを得ない場合**には、当分の間、改善基準第 5 条の 4 週間を平均し 1 週間あたりの拘束時間及び 1 日の拘束時間等の規定にかかわらず、**次の条件で、バス運転者を隔日勤務に就かせることができる。**

　ただし、厚生労働省労働基準局長が定める施設において、夜間 4 時間以上の仮眠を与える場合には、2 週間についての拘束時間が 126 時間を超えない範囲において、当該 2 週間について 3 回を限度に、2 暦日の拘束時間を 24 時間まで延長することができる。

バス運転者における隔日勤務の特例の条件

①**2 暦日における拘束時間**は、一定の要件に該当する場合を除き、**21 時間**を超えてはならない。

②勤務終了後、**継続 20 時間以上の休息期間**を与えなければならない。

（4）フェリーに乗船する場合の特例

　バス運転者等が**フェリーに乗船している時間**は、原則として、**休息期間**とし、この条の規定により与えるべき休息期間から当該時間を除くことができる。

　ただし、**当該時間を除いた後の休息期間**については、改善基準第 5 条第 4 項第 2 号の場合を除き、フェリーを下船した時刻から終業の時刻までの時間の 2 分の 1 を下回ってはならない。

CHECK☐ 　5　休日労働（同条第 5 項、第 2 条第 4 項）

　使用者は、バス・タクシー運転者に休日（法定休日）に労働させる場合、その労働させる休日は、2 週間について 1 回を超えないものとし、その休日の労働によって上記の**拘束時間及び最大拘束時間を超えてはならない。**つまり、休日労働は 2 週間のうち、1 回までということである。

11
バス運転者の拘束時間

① 下表は、貸切バスの運転者の4週間を平均した1週間当たりの拘束時間の例を示したものであるが、このうち、「自動車運転者の労働時間等の改善のための基準」に適合しているものを2つ選びなさい。なお、隔日勤務に就く場合には該当しないものとする。また、「拘束時間の延長に関する労使協定」があるものとする。

1.

	1～4週	5～8週	9～12週	13～16週	17～20週	21～24週	25～28週	29～32週	33～36週	37～40週	41～44週	45～48週	49～52週	52週間を合計した拘束時間
4週間を平均した1週間当たりの拘束時間	60時間	68時間	66時間	62時間	65時間	66時間	58時間	66時間	66時間	67時間	64時間	63時間	68時間	3,356

2.

	1～4週	5～8週	9～12週	13～16週	17～20週	21～24週	25～28週	29～32週	33～36週	37～40週	41～44週	45～48週	49～52週	52週間を合計した拘束時間
4週間を平均した1週間当たりの拘束時間	64時間	66時間	64時間	68時間	65時間	63時間	60時間	59時間	67時間	67時間	62時間	64時間	61時間	3,320

3.

	1～4週	5～8週	9～12週	13～16週	17～20週	21～24週	25～28週	29～32週	33～36週	37～40週	41～44週	45～48週	49～52週	52週間を合計した拘束時間
4週間を平均した1週間当たりの拘束時間	61時間	64時間	60時間	68時間	65時間	64時間	63時間	60時間	62時間	69時間	64時間	67時間	67時間	3,336

4.

	1～4週	5～8週	9～12週	13～16週	17～20週	21～24週	25～28週	29～32週	33～36週	37～40週	41～44週	45～48週	49～52週	52週間を合計した拘束時間
4週間を平均した1週間当たりの拘束時間	64時間	70時間	61時間	66時間	62時間	63時間	58時間	64時間	70時間	67時間	66時間	63時間	60時間	3,336

ポイント 「以上」と「超える」は、法律用語としては別である。「以上」は、その数値等を含む概念なので、「68時間以上」という場合、68時間自体もこれに含まれるが、「68時間を超える」という場合、文字通り、68時間を超えなければならず、68時間は含まれない。

《過去問にチャレンジ！》解答

1　**2と3**　**労使協定がある**場合の1週間あたりの拘束時間の基準をまとめると、以下のようになる。

65時間超の拘束時間のケースが、6回（24週間）まで、

かつ、

連続4回（16週間）まで、

かつ、

68時間を「超える」ものがない。

かつ、

52週間の合計拘束時間が3,400時間以内

であれば、**基準に適合**することになる。以上を前提に、各選択肢を検討すると、

選択肢1　**基準違反である。**
65時間を超える4週間→7つ（5〜8週、9〜12週、21〜24週、29〜32週、33〜36週、37〜40週、49〜52週）

選択肢2　**基準違反ではない。**
65時間を超える4週間→4つ（5〜8週、13〜16週、33〜36週、37〜40週）

選択肢3　**基準違反ではない。**
65時間を超える4週間→4つ（13〜16週、37〜40週、45〜48週、49〜52週）

選択肢4　**基準違反である。**
65時間を超える4週間→5つ（5〜8週、13〜16週、33〜36週、37〜40週、41〜44週）で、5〜8週と33〜36週は70時間と最大拘束時間の68時間を超えている。

（過去問にチャレンジ！は、次ページに続く。）

11

バス運転者の拘束時間

② 下表は、一般乗用旅客自動車運送事業以外の旅客自動車運送事業に従事する自動車運転者の4週間の拘束時間の例を示したものであるが、「自動車運転者の労働時間等の改善のための基準」（以下「改善基準」という。）に定める拘束時間等に関する次の記述のうち、正しいものを1つ選びなさい。ただし、1人乗務であって、4週間を平均し1週間当たりの拘束時間の延長に関する労使協定があるものとする。また、1日についての最大拘束時間を延長することができる場合に該当するものとする。なお、解答にあたっては、各選択肢に記載されている事項以外は考慮しないものとする。

日付	1日	2日	3日	4日	5日	6日	7日 休日
拘束時間	9	11	10	12	10	11	—
累計拘束時間	9	20	30	42	52	63	—

1週間の 拘束時間	63

日付	8日	9日	10日	11日	12日	13日	14日 休日労働
拘束時間	9	11	10	12	10	9	11
累計拘束時間	72	83	93	105	115	124	135

1週間の 拘束時間	72

日付	15日	16日	17日	18日	19日	20日	21日 休日
拘束時間	16	8	16	8	16	8	—
累計拘束時間	151	159	175	183	199	207	—

1週間の 拘束時間	72

日付	22日	23日	24日	25日	26日	27日	28日 休日
拘束時間	9	10	15	12	10	12	—
累計拘束時間	216	226	241	253	263	275	—

1週間の 拘束時間	68

（注1） 4週間を平均し1週間当たりの拘束時間の起算日は1日とする。
（注2） 休日労働の2週間の起算日は1日とする。
（注3） 各労働日の始業時刻は午前8時とする。
（注4） 休日を7日、14日、21日及び28日と計画された乗務割を前提とする。

4週間の 拘束時間	275

4週間を平均した 1週間当たりの 拘束時間	68.8

1. 休日に労働させる回数は改善基準に違反しているが、4週間を平均した1週間当たりの拘束時間は改善基準に違反していない。

2. 1日についての最大拘束時間は改善基準に違反しているが、4週間を平均した1週間当たりの拘束時間は改善基準に違反していない。

3. 1日についての最大拘束時間は改善基準に違反しているが、休日に労働させる回数は改善基準に違反していない。

4. 1日についての最大拘束時間及び4週間を平均した1週間当たりの拘束時間は改善基準に違反していない。

過去問にチャレンジ！ 解答

② 3

選択肢 1 について、まず、休日に労働させる場合は、当該労働させる休日は 2 週間について 1 回を超えないものとされている。本肢の場合、休日労働は 14 日の 1 回だけなので、この点は改善基準に違反していない。よって、この時点で本肢は誤っていることがわかる。

なお、本肢後半について、4 週間を平均した 1 週間当たりの拘束時間は、原則として 65 時間を超えないこととされているが、労使協定により、68 時間まで延長することができる。

本肢の場合、4 週間を平均した 1 週間当たりの拘束時間が 68.8 時間となっているため、改善基準に違反している。

選択肢 2 について、1 日についての拘束時間は、原則として 13 時間を超えないものとし、当該拘束時間を延長する場合であっても、最大拘束時間は、15 時間とされている。

本肢の場合、15 日、17 日、19 日の拘束時間が 16 時間となっているため、改善基準に違反している。よって、前半部分は正しい。

一方、本肢後半部分については、肢 1 の解説で述べたように、改善基準に違反している。よって、本肢は後半部分が誤っている。

選択肢 3 について、肢 1 ～ 2 の解説で述べたように、1 日についての最大拘束時間は改善基準に違反しており、休日に労働させる回数は改善基準に違反していない。よって、本肢が正解であることがわかる。

選択肢 4 についても、肢 1 ～ 2 の解説で述べたように、1 日についての最大拘束時間及び 4 週間を平均した 1 週間当たりの拘束時間は、いずれも改善基準に違反している。よって、本肢は誤っている。

 ちょこっとアドバイス !!

一見、この手の事例問題はややこしく見えるが、法令を正しく理解していれば難しくはない。過去問も利用しながら、各種法令がどういう問われ方をしているのかを確認して、理解を深めていこう。

11

バス運転者の拘束時間

第4章　労基法関係

ROAD
12

バス運転者の運転時間

重要度 ♣♣♣

合格への道　「バス運転者の運転時間」には、①「1日あたり」と②「1週間あたり」の運転時間の制約の2つの話がある。これらを区別して、知識や算出方法を身に付けておこう。

CHECK □ 1 「1日あたり」の運転時間（改善基準第5条第1項第5号）

バス事業に従事する**バス運転者の運転時間**については、「1日あたり」と「1週間あたり」の運転時間の制約がある。

◆ バス運転者の「1日あたり」の運転時間の制約

・**2日を平均して、1日あたり9時間を超えてはならない。**
　⇒「超えては」ならないので、9時間ちょうどは違反ではない。

　　　　　　　　　　　　　　　　　※「2日」とは、始業時刻から起算して48時間をいう。

要するに、「2日を平均」した1日の運転時間が9時間までならば違反にならないが、ここでは「特定日」という概念が出てくる。以下のように、B日を特定日とした場合、その前日（A日）及び翌日（C日）とのそれぞれの平均運転時間を求め、どちらも9時間を超える場合に、基準違反となるのだ。

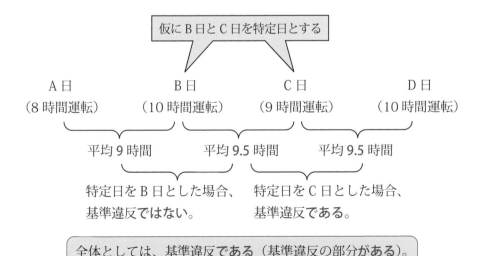

ここは実際の問題を見ながら確認したほうが理解しやすいので、さっそくだが過去問を確認していこう。

───────────── 過去問にチャレンジ！ ─────────────

下表は、一般貸切旅客自動車運送事業に従事する自動車運転者の5日間の運転時間の例を示したものであるが、5日間すべての日を特定日とした2日を平均し1日当たりの運転時間が「自動車運転者の労働時間等の改善のための基準」に違反しているものをすべて選びなさい。

1.

	休日	1日目	2日目	3日目	4日目	5日目	休日
運転時間	－	10時間	7時間	11時間	10時間	8時間	－

2.

	休日	1日目	2日目	3日目	4日目	5日目	休日
運転時間	－	7時間	8時間	9時間	10時間	9時間	－

3.

	休日	1日目	2日目	3日目	4日目	5日目	休日
運転時間	－	8時間	9時間	10時間	9時間	8時間	－

4.

	休日	1日目	2日目	3日目	4日目	5日目	休日
運転時間	－	10時間	9時間	9時間	9時間	10時間	－

• •

🖙　2と3

　改善基準第5条第1項第5号によると、一般貸切旅客自動車（**貸切バス等**）の運転者の運転時間は、2日を平均して、1日あたり9時間を超えてはならないこととされている。

　また、1日の運転時間の計算にあたっては、「特定日の前日と特定日の運転時間の平均」と「特定日と特定日の翌日の運転時間の平均」を算出し、どちらも9時間を**超える場合に基準違反**となる。以上を前提に、各選択肢を確認していけばよいので、次ページより各選択肢を確認していく。

1. **違反していない**　選択肢1については、最初なので、それぞれ具体的に算出していこう。

↓

・「1日目」と「5日目」を特定日とした場合：
前日又は翌日に休日があるため、基準違反とならないことはわかろう。

・「2日目」を特定日とした場合：
（前日の1日目10時間＋特定日の2日目7時間）÷2＝8.5時間となり、基準を**超えていない。前日及び翌日との平均運転時間が「どちらも9時間を超える」**場合に基準違反となるため、この時点で基準違反にならない。

・「3日目」を特定日とした場合：
（前日の2日目7時間＋特定日の3日目11時間）÷2＝9時間となり、基準を**超えていない。**上と同じく、この時点で基準違反にならないことがわかる。

・「4日目」を特定日とした場合：
（前日の3日目11時間＋特定日4日目10時間）÷2＝10.5時間であり、ここは9時間を超える。しかし、（特定日4日目10時間＋翌日の5日目8時間）÷2＝9時間であり、ここは9時間を超えていないため、基準違反にならない。

↓

以上と同じく、選択肢2～4も確認していけばよい。

2. **違反している**　**4日目を特定日**とすると、「特定日の前日（3日目）と特定日（4日目）の運転時間の平均」、「特定日（4日目）と特定日の翌日（5日目）の運転時間の平均」は、ともに9.5時間で9時間を超える。

3. **違反している**　**3日目を特定日**とすると、「特定日の前日（2日目）と特定日（3日目）の運転時間の平均」、「特定日（3日目）と特定日の翌日（4日目）の運転時間の平均」は、ともに9.5時間で9時間を超える。

4. **違反していない**　改善基準に照らすと、違反している箇所はない。

 ちょこっとアドバイス!!

慣れるまでは時間がかかるかもしれないが、**2日間の合計が19時間以上（平均9.5時間）であるか**を見ていけば、すぐに算出できる。

^{CHECK} ☐ 2 「1 週間あたり」の運転時間（改善基準第 5 条第 1 項第 5 号）

　次に、バス事業に従事する**バス運転者の運転時間**には、「1 週間あたり」の
運転時間の制約もある。

◆ バス運転者の「1 週間あたり」の運転時間の制約

・4 週間を平均して、1 週間あたり 40 時間を超えてはならない。

・ただし、労使協定があるときは、52 週間についての運転時間が 2,080 時
　間を超えない範囲内で、52 週間のうち 16 週間までは、4 週間を平均し
　て 1 週間あたり 44 時間まで延長可能。

⬇

この内容を要約すると、

⬇

① 52 週間の（総）運転時間は、2,080 時間を超えてはならない。

② 1 週間あたりの平均運転時間は、**労使協定により延長**した場合でも、44
　時間まで。

③ 1 週間あたりの平均運転時間について、**労使協定による（上記②の）延
　長は 4 回まで。**

　上を読んだだけでは、わからないと思うので、ここも次ページより、実際
の過去問を見ながら確認していこう。

 ちょこっとアドバイス‼

「1 週間あたり」の運転時間について、基準違反があるか否かを算出する問
題では、**通常、労使協定がある。よって、1 週間あたりの平均運転時間は
44 時間まで**となる。なお、**改善基準に関する問題**は、209 ページや次ペー
ジの問題のように表が使われるものが多い。まずは問題を見た際、**その問
題が「何を問うているか」を把握**することがスタートとなる。バス運転者
の運転時間についていえば、「1 日あたり」と「1 週間あたり」の運転時間
の制約で算出方法が異なるからである。

下表は、貸切バスの運転者の52週間における各4週間を平均した1週間当たりの運転時間の例を示したものであるが、このうち、「自動車運転者の労働時間等の改善のための基準」に適合しているものを1つ選びなさい。ただし、「4週間を平均し1週間当たりの運転時間の延長に関する労使協定」があるものとする。

1.

	1週～4週	5週～8週	9週～12週	13週～16週	17週～20週	21週～24週	25週～28週	29週～32週	33週～36週	37週～40週	41週～44週	45週～48週	49週～52週	52週間の運転時間
4週間を平均した1週間当たりの運転時間	38	35	40	46	44	43	38	35	40	44	36	40	40	2,076

2.

	1週～4週	5週～8週	9週～12週	13週～16週	17週～20週	21週～24週	25週～28週	29週～32週	33週～36週	37週～40週	41週～44週	45週～48週	49週～52週	52週間の運転時間
4週間を平均した1週間当たりの運転時間	39	40	39	41	43	40	39	38	40	44	38	39	41	2,084

3.

	1週～4週	5週～8週	9週～12週	13週～16週	17週～20週	21週～24週	25週～28週	29週～32週	33週～36週	37週～40週	41週～44週	45週～48週	49週～52週	52週間の運転時間
4週間を平均した1週間当たりの運転時間	35	40	39	43	41	42	39	37	40	43	36	40	41	2,064

4.

	1週～4週	5週～8週	9週～12週	13週～16週	17週～20週	21週～24週	25週～28週	29週～32週	33週～36週	37週～40週	41週～44週	45週～48週	49週～52週	52週間の運転時間
4週間を平均した1週間当たりの運転時間	37	38	40	42	40	44	38	38	41	44	37	39	40	2,072

過去問にチャレンジ！　解答

 答　4

労使協定があることを前提に、改善基準第 5 条第 1 項第 5 号における「1 週間あたり」の運転時間の制約を要約すると、以下のものである。

↓

> ① 52 週間の（総）**運転時間は、2,080 時間を超えてはならない。**
> ② 1 週間あたりの平均運転時間は、**労使協定により延長した場合でも、44 時間**まで。
> ③ 1 週間あたりの平均運転時間について、**労使協定による（上記②の）延長は、4 回まで。**

↓

本問においても、以上を前提に、各選択肢を確認していけばよい。

1.　適合していない　「13 週〜 16 週」を見ると、4 週間を平均した 1 週間あたりの運転時間が「46 時間」となっており、44 時間を超えている（上記②）。したがって、改善基準に**違反**している。

2.　適合していない　「52 週間の運転時間」を見ると「2,084 時間」となっており、2,080 時間を超えている（**上記①**）。したがって、改善基準に**違反**している。

3.　適合していない　本肢の場合、「13 週〜 16 週」、「17 週〜 20 週」、「21 週〜 24 週」、「37 週〜 40 週」、「49 週〜 52 週」の計 20 週間（5 回分）において、4 週間を平均した 1 週間当たりの運転時間が延長されている（上記③）。**運転時間を延長できる限度（16 週間、4 回分）を超えており、**改善基準に**違反**している。

4.　適合している　① 52 週間の運転時間は 2,080 時間を超えていないし、② 4 週間を平均した 1 週間あたりの運転時間が 44 時間を超えている箇所もない。また、③ 4 週間を平均した 1 週間あたりの運転時間の延長（原則である 40 時間超え）は「13 週〜 16 週」、「21 週〜 24 週」、「33 週〜 36 週」、「37 週〜 40 週」の計 16 週間（4 回分）である。したがって、改善基準に**適合**している。

ROAD
13
連続運転時間

重要度

> **合格への道** 運転時間の制約については、「連続運転時間」のほうが頻出である。慣れてしまえば得点源にできる問題なので、ここで紹介しているポイントとチェック方法をしっかり身に付けよう。

CHECK □ 連続運転時間（改善基準第 5 条第 1 項第 6 号、第 7 号）

　改善基準では、旅客自動車運送事業（一般乗用旅客自動車運送事業を除く）に従事する運転者の**連続運転時間**（運転開始後 4 時間以内又は 4 時間経過直後に、**1 回が連続 10 分以上**で、かつ、**合計が 30 分以上の運転の中断**をすることなく、連続して運転する時間をいう）は、原則として、**4 時間を超えてはならない**とされている。

　要するに、「運転の中断」をすることなく、4 時間を超える連続運転をしてはならないが、「運転の中断」といえるには、**合計 30 分以上の中断**でなければならず、「合計」とはいっても、**1 回の中断が 10 分以上**でなければ、その中断は**カウントされない**。なお、その必要が生じた記録があれば、**30 分**を上限に、駐停車場所からの**軽微な移動は連続運転時間から除く**ことができる。

◆ 連続運転時間の具体的な処理方法

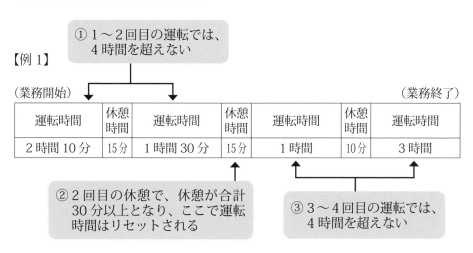

【例 1】

①１〜２回目の運転では、4 時間を超えない

（業務開始）　　　　　　　　　　　　　　　　　　　　　　（業務終了）

運転時間	休憩時間	運転時間	休憩時間	運転時間	休憩時間	運転時間
2 時間 10 分	15 分	1 時間 30 分	15分	1 時間	10 分	3 時間

②２回目の休憩で、休憩が合計 30 分以上となり、ここで運転時間はリセットされる

③３〜４回目の運転では、4 時間を超えない

【例2】

①2〜3回目の休憩は10分以上ではなく、カウントされない

（業務開始）　　　　　　　　　　　　　　　　　　　　　　　（業務終了）

運転時間	休憩時間	運転時間	休憩時間	運転時間	休憩時間	運転時間	休憩時間	運転時間
3時間	20分	30分	5分	30分	5分	3時間30分	20分	30分

②4回目の運転で連続運転時間が4時間を超える

過去問にチャレンジ！

下図は、旅客自動車運送事業（一般乗用旅客自動車運送事業を除く。）に従事する自動車運転者の運転時間及び休憩時間の例を示したものであるが、このうち、連続運転の中断方法として「自動車運転者の労働時間等の改善のための基準」に適合しているものを2つ選びなさい。

1.

業務開始	運転	休憩	運転	休憩	運転	休憩	運転	休憩	運転	休憩	運転	休憩	運転	業務終了
	30分	10分	2時間	15分	30分	10分	1時間30分	1時間	2時間	15分	1時間30分	10分	1時間	

2.

業務開始	運転	休憩	運転	休憩	運転	休憩	運転	休憩	運転	休憩	運転	休憩	運転	業務終了
	1時間	15分	2時間	10分	1時間	15分	1時間	1時間	1時間30分	10分	1時間	5分	30分	

3.

業務開始	運転	休憩	運転	休憩	運転	休憩	運転	休憩	運転	休憩	運転	休憩	運転	業務終了
	2時間	10分	1時間30分	10分	30分	10分	1時間	1時間	1時間	10分	1時間	10分	2時間	

4.

業務開始	運転	休憩	運転	休憩	運転	休憩	運転	休憩	運転	休憩	運転	休憩	運転	業務終了
	1時間	10分	1時間30分	15分	30分	5分	1時間30分	1時間	2時間	10分	1時間30分	10分	30分	

13

連続運転時間

答 2と3

1. 適合していない

　本肢では、4回目の運転で合計の運転時間が4時間を超える（30分＋2時間＋30分＋1時間30分＝4時間30分）。しかし、4回目の運転開始前までの休憩時間の合計が30分以上あるため（10分＋15分＋10分＝35分）、ここで連続運転時間はリセットされると考える。

　しかし、その後、5～7回目の運転で2時間＋1時間30分＋1時間＝4時間30分、と4時間を超えるが、その間の休憩時間は15分＋10分＝25分しかないので、運転の中断がされたことにならず、改善基準に適合していない。

2. 適合している

　本肢では、4回目の運転で合計の運転時間が4時間を超える（1時間＋2時間＋1時間＋1時間＝5時間）。しかし、4回目の運転開始前までの休憩時間の合計が30分以上あるため（15分＋10分＋15分＝40分）、ここで連続運転時間はリセットされると考える。

　その後、5～7回目の運転では1時間30分＋1時間＋30分＝3時間、と4時間を超えていないため、改善基準に適合している。

3. 適合している

　本肢では、4回目の運転で合計の運転時間が4時間を超える（2時間＋1時間30分＋30分＋1時間＝5時間）。しかし、4回目の運転開始前までの休憩時間の合計が30分以上あるため（10分＋10分＋10分＝30分）、ここで連続運転時間はリセットされると考える。

　その後、5～7回目の運転では1時間＋1時間＋2時間＝4時間、と4時間を超えていないため、改善基準に適合している。

4. 適合していない

　本肢では、4回目の運転で合計の運転時間が4時間を超える（1時間＋1時間30分＋30分＋1時間30分＝4時間30分）。そして、4回目の運転開始前までの休憩時間の合計が30分以上にならない（10分＋15分＝25分）。3回目の休憩時間である「5分」は、10分以上でないため運転の中断としてカウントされない。よって、改善基準に適合していない。

第5章

実務上の知識及び能力

ROAD 1　他分野からの応用問題対策

重要度

合格への道：「実務上の知識及び能力」では、他分野（本書第 1 章〜第 4 章）で学習した知識の応用問題的な出題がある。これらのうち、ここではよく出題されるテーマを中心に、その学習方法等をコメントしておく。

CHECK □　1　他分野からの応用問題対策（総論）

　上記のように、この第 5 分野では、他の分野で学習した内容の応用問題「的」な出題が目立つ。ただし、「的」と書いたように、**実は応用問題ではなく、他分野で学習した内容が再びこの第 5 分野で出題されることも多い**。

　よって、第 5 分野における「他分野からの応用問題対策」としては、**第 1 章〜第 4 章の学習をしっかり終える**というスタンスでよい。とはいえ、第 1 章〜第 4 章で学んだ知識について、第 5 分野で出題されるテーマのほとんどは、以下のものである。

◆ 第 1 章〜第 4 章の知識について、第 5 分野での頻出テーマ

> 第 1 章（運送法関係）
> 　⇒「点呼」、「業務等の記録」、「従業員に対する指導監督」、「運行管理者の役割（業務）」。
> 第 3 章（道交法関係）
> 　⇒「交通事故（及び緊急事態）の場合の措置」、そして、事例問題の前提知識として必要となる「最高速度」、「道路標識」。
> 第 4 章（労基法関係）
> 　⇒「バス運転者の運転時間」、「連続運転時間」など。

　上記のうち、ここでは「点呼」「業務等の記録」「交通事故（及び緊急事態）の場合の措置」についてコメントしておく。

　なお、「従業員に対する指導監督」については、特に**第 1 章（運送法関係）で学んだ内容に関する指導監督の要否**が問われるが、常識的な感覚で解ける問題が多い。

CHECK □　2　「点呼」からの出題について（運送法関係）

「点呼」については、第 5 分野でも 2 回に 1 回くらいの頻度で 1 問分（4 つの選択肢）の問題が出題される。**第 1 章の 44 ページからの解説ですべて解ける内容なので、第 1 章の学習をしっかり行っていればよい。**

1 つだけコメントすると、第 5 分野では、**複数日にわたる運行で、2 日目が遠隔地の業務となり、業務後の点呼が対面でできないケースがよく出題される。**「遠隔地」の場合は、電話等の点呼ができるケースだが、問題では、**運行管理者等が勤務時間外であり、業務「途中」で先に点呼を行う行為の適否が**出題される。業務後の点呼は行うべきものなので、これは**不適切**な行為となる。

CHECK □　3　「業務等の記録」からの出題について（運送法関係）

第 1 章では、様々な記録の作成義務とその保存期間の話が出てきた。これらを横断的に問う問題が第 5 分野では出題されるので、主な記録について簡単な内容と保存期間についてまとめておく。

◆ 主な記録の保存期間等

各記録	簡単な内容	保存期間
乗務員等台帳 （58 ページ）	運転者等の氏名、生年月日及び住所等を記録。 ⇒当該事業所の運転者でなくなった場合、その年月日と理由を記録する。 ⇒運転者を採用した際の履歴書で代用することはできない。	3 年間
運行記録計 （228 ページ）	瞬間速度、運行距離、運行時間、急発進、急ブレーキ、速度超過時間等の運行データを記録。	1 年間[※1]
運転者に対する指導及び監督の記録（61 ページ）	日時、場所及び内容並びに指導監督を行った者及び受けた者を記録。	3 年間
点呼 （51 ページ）	点呼を行った旨、報告、確認及び指示内容等を記録。	1 年間
運行指示書 （55 ページ）	運行の開始・終了の地点及び日時等を記録。 ⇒運行中に経路変更の指示があった場合、その内容等を運転者等自身に記録させる。	運行終了日から 1 年間[※2]

※ 1 法改正により、**令和 6 年度第 2 回試験から一般貸切旅客事業者運送事業者は** 3 年間となる。

※ 2 法改正により、**令和 6 年度第 2 回試験から** 3 年間となる。

4 「交通事故（及び緊急事態）の場合の措置」からの出題について（道交法関係）

第3章の152ページにおいて、交通事故が発生した場合の運転者等の措置について解説したが、そこでの内容は、**負傷者の救護義務**と、**警察官への報告義務**についてであった。

第5分野では、これらに加えて**自然災害等の緊急事態が発生した場合の対応**についても出題されるため、まとめて確認しておこう。

まず、**交通事故**があった場合、当該車両の**運転者その他の乗務員は**、直ちに車両等の運転を停止して、**負傷者を救護し、道路における危険を防止する**等必要な措置を講じなければならない。

また、**運転者は**、警察官が現場にいるときは当該警察官に、いないときは、直ちに最寄りの警察署の**警察官に、一定の事項を報告**しなければならない。仮に事故が軽微であり、現場の当事者間でいわゆる示談が成立したとしても、**警察への報告を行わないことは不適切な対応**である。

そして、運転者はこれらの措置を講じた後、営業所の**運行管理者に、事故の発生及び被害の状況等について連絡**し、連絡を受けた**運行管理者は**、自社の規程に基づき、運転者から事故の状況及び乗客の状態等を確認し、**負傷者の家族に連絡**するとともに、**負傷しなかった当該バスの乗客の意向**を踏まえ、乗客を出発地まで送還するための**代替バスを運行させる**といった措置も検討するとよい。

次に、**運行管理者が**、運転者から走行地域の**天候悪化等により、運転を一時中断している**との連絡を受けた場合、現地の天候等が判断できないからといって、**その後の運転経路について運転者の判断に任せる**ことは適切な対応とはいえない。

天災その他の理由により輸送の安全の確保に支障が生ずるおそれがあるとき、運行管理者には、事業用自動車の乗務員等に対する必要な指示その他輸送の安全のための措置を講じなければならない義務があるためである（運輸規則第48条第1項第2号及び第20条）。

過去問にチャレンジ！

1. 3日間にわたる事業用自動車の運行で、2日目は遠隔地の業務のため、業務後の点呼については、目的地への到着予定時刻が運行管理者等の勤務時間外となることから、業務途中の休憩時間を利用して運行管理者等が営業所に勤務する時間帯に携帯電話により行い、所定の事項を点呼記録表に記録した。

2. 運行管理者は、事業用自動車の運転者が他の営業所に転出し当該営業所の運転者でなくなったときは、直ちに、乗務員等台帳に運転者でなくなった年月日及び理由を記載して1年間保存している。

3. 運行管理者は、事業用自動車の運転者に対し、事業用自動車の構造上の特性、乗車中の旅客の安全を確保するために留意すべき事項など事業用自動車の運行の安全及び旅客の安全を確保するために必要な運転に関する技能及び知識等について、適切に指導を行うとともに、その内容等について記録し、かつ、その記録を営業所において1年間保存している。

4. 貸切バスが観光目的地に向かうため運行中、当該バスの運転者から、営業所の運行管理者に対し、「現在走行している地域の天候が急変し、集中豪雨のため、視界も悪くなってきたので、一時運転を中断している。」との連絡があった。連絡を受けた運行管理者は、「営業所と中断場所とは天候が異なり判断できないので、今後の運行する経路については土砂災害が発生しそうな地域を避け運転者自ら判断し運行するよう」指示した。

答

1. ×　運行管理者は、原則として、業務後に点呼を実施する必要がある。目的地への到着予定時刻が運行管理者等の勤務時間外となる場合であっても、業務途中の休憩時間に点呼を行うのは適切な対応とはいえない。

2. ×　乗務員等台帳の保存期間は3年間である。

3. ×　運転者に対する指導及び監督の記録は、営業所において3年間保存しなければならない。

4. ×　運行管理者は、天災その他の理由により輸送の安全の確保に支障が生ずるおそれがあるときは、事業用自動車の乗務員等に対する必要な指示その他輸送の安全のための措置を講じなければならない。「営業所では判断できない」ので、運行経路を「自ら判断」せよという対応は、適切ではない。

1

他分野からの応用問題対策

運転者の健康管理

重要度

> **合格への道**
> 事業者による「運転者の健康管理」は、毎回のように出題される重要項目である。同じような内容が繰り返し出題されているので、ここで紹介する知識（ポイント）は、すべて押さえておこう。

CHECK □ 1 健康診断にまつわる問題（労働安全衛生規則第44条、第45条、労働安全衛生法第66条第5項等）

　実務上の知識及び能力の分野では、**事業者による運転者の健康管理**に関する問題がよく出題される。192ページから解説した健康診断に関する知識がメインとなるが、**特に押さえておきたい5つのポイント**を紹介しておく。

◆ 健康管理にまつわる問題の5つのポイント（実務上の知識及び能力）

> ①事業者には、労働者に対して定期健康診断を行う義務があるが、**労働者は、他の医師等の行う定期健康診断の項目に相当する健康診断を受け、その結果を証明する書面を事業者に提出したときは、法定のものに代用できる。**
>
> ②定期健康診断は、1年以内ごとに1回、定期的に行わなければならないが、**深夜業に従事する者に対しては、6ヵ月以内ごとに1回以上、行わなければならない。**
>
> ③事業者は、労働者が受診した健康診断の結果に基づき、**健康診断個人票を作成して、これを5年間保存**しなければならない。これは**労働者が自ら受けた健康診断結果を提出したものについても同様**である。
>
> ④事業者は、**運転者が医師の診察を受ける際は、自身が職業運転者**であり、**勤務時間が不規則であること、薬を処方された際は、服用のタイミング**と運転に支障を及ぼす**副作用の有無について確認するよう指導**する。
>
> ⑤事業者と運行管理者は、**乗務員等の健康状態の把握に努め**、疾病、疲労、睡眠不足その他の理由により**安全な運転をし、又はその補助をすること**

ができないおそれがある乗務員等を事業用自動車の**運行の業務に従事さ**
せてはならない。

⇒運転者に何らかの症状が見られ、医師より「直ちに治療の必要はないが
　経過観察が必要」といった所見が出された場合、たとえ**繁忙期、かつ、**
　短期間のものであったとしても、**従来と同様の業務を**させてはならない。

 ちょこっとアドバイス!!

運転者の健康管理に関する問題では、事業用自動車の乗務員等に起因する
重大事故報告件数や、運転者の**健康状態に起因する事故件数**、そのうち**い**
かなる疾患が多く発生しているか（心臓疾患や脳疾患が多い）の統計が出
題されることがある。余力があれば、国土交通省の公表している「運転者
の健康状態に起因する事故報告件数の推移」もチェックしよう。

CHECK
☐ **2　各種疾病にまつわる問題**

　運転者の健康管理に関する問題では、事故につながる**疾病に関する知識や**
対応方法も出題される。特に押さえておきたい3つのポイントを紹介する。

◆ **各種疾病にまつわる問題の3つのポイント**

①**脳血管疾患**は、**定期健康診断で容易に発見することが難しく、専門医療**
　機関の受診が必要となる。運転者にも症状（意識や言葉の異常等）につ
　いて理解させ、そのような症状があった場合は、すぐに申告させる。
　⇒予防のため、運転者の健康状態を把握し、生活習慣の改善を促す。

②**睡眠時無呼吸症候群（SAS）**は、**睡眠中の無呼吸や低呼吸が症状**としてあり、
　満足な睡眠が得られないことから、漫然運転や居眠り運転の原因となる。
　⇒この疾病には**自覚症状がない**ことが多く、**発見が遅れやすい**ので、**事**
　　業者は自覚症状の有無にかかわらず、全従業員にSASスクリーニング
　　検査を実施することが望ましい。
　⇒軽度のSASと診断された運転者には、業務上の負荷の軽減や、睡眠時
　　間を多くとる、生活習慣の改善によって業務が可能となる場合がある
　　ので、医師と相談しながら慎重に対応すべきである。

2

運転者の健康管理

③常習的な飲酒運転等の背景には、**アルコール依存症**があるといわれる。初期症状は、一般的に吐き気、嘔吐、動悸、不眠などで、進行すると、手指の振戦や幻視・幻聴などの精神症状が現れてくる。治療法は、専門医による早期の治療を受けること及び断酒することであるが、アルコール依存症は、**一度回復しても再発の可能性が高い**ため、**回復した運転者に対しても、飲酒に関する特別な指導を行うべき**である。

―――――(過去問にチャレンジ！) 問題)―――――

1 事業者は、法令により定められた健康診断を実施することが義務づけられているが、運転者が自ら受けた健康診断（人間ドックなど）において、法令で必要な定期健康診断の項目を充足している場合であっても、法定健診として代用することができない。

2 事業者は、脳血管疾患の予防のため、運転者の健康状態や疾患につながる生活習慣の適切な把握・管理に努めるとともに、法令により義務づけられている定期健康診断において脳血管疾患を容易に発見することができることから、運転者に確実に受診させている。

3 事業者は、業務に従事する運転者に対し法令で定める健康診断を受診させ、その結果に基づいて健康診断個人票を作成し3年間保存としている。また、運転者が自ら受けた健康診断の結果を提出したものについても同様に保存している。

4 事業者は、深夜（夜11時出庫）を中心とした業務に常時従事する運転者に対し、法令に定める定期健康診断を1年に1回、必ず、定期的に受診させるようにしている。

5 事業者は、健康診断の結果、運転者に心疾患の前兆となる症状がみられたので、当該運転者に医師の診断を受けさせた。その結果、医師より「直ちに入院治療の必要はないが、より軽度な勤務において経過観察することが必要」との所見が出されたが、繁忙期であったことから、運行管理者の判断で短期間に限り従来と同様の業務を続けさせた。

6 飲酒により体内に摂取されたアルコールを処理するために必要な時間の目安については、例えばビール500ミリリットル（アルコール5％）の場合、概ね4時間とされている。事業者は、これを参考に個人差も考慮して、体質的にお酒に弱い運転者のみを対象として、飲酒が運転に及ぼす影響等について指導を行っている。

　なお、人が飲酒し、そのアルコールが体内から抜けきるまでの時間には個人差がある。**アルコール5%のビールの場合、約500ミリリットル（アルコール7%のチューハイの場合、約350ミリリットル）のアルコールを処理するための必要な時間の目安は、おおむね4時間とされる。**

　事業者は、個人差も考慮して、全ての**運転者を対象に、飲酒が運転に及ぼす影響や酒類の飲み方等について指導**を行うことが望ましい。

━━━━━━━━━━━━ ◆過去問にチャレンジ！◆解答 ━━━━━━━━━━━━

① ×　労働者は、自ら定期健康診断の項目に相当する健康診断を受け、その結果を証明する**書面を事業者に提出**したときは、**法定のものに代用できる。**

② ×　**脳血管疾患を定期健康診断で発見するのは困難**であり、発見するためには、**専門医療機関を受診**すること等が必要になる。

③ ×　事業者は、従業員に対し、法令で定める健康診断の結果に基づく健康診断個人票を作成し、**5年間保存**しなければならない。

④ ×　事業者は、**深夜業を含む業務に常時従事する労働者に対し、6ヵ月以内ごとに1回**、定期的に、医師による健康診断を行わなければならない。

⑤ ×　事業者は、医師から出された所見に従い、少なくとも運転者の**負担を軽減**させる必要がある。にもかかわらず、繁忙期であるとの理由で、運転者に対し従来と同様の業務を続けさせた事業者の判断は、**適切ではない。**

⑥ ×　社内教育で従業員に対し、適度な飲酒の目安や一般にアルコール処理に必要とされる時間を参考に、個人差も考慮しつつ、飲酒が運転に及ぼす影響等について指導を行うことは、酒気帯び運転防止の観点から適切な対応といえる。しかし、指導を行う際は、**全ての運転者を対象**とすることが望ましい。

2
運転者の健康管理

ROAD 3　交通事故の防止（その1）

重要度

合格への道　2回に1回くらいの頻度で、この項目で紹介する話のどれかが出題される。どの内容も難しい話ではなく、また、まんべんなく出題されているので、すべて押さえておいて損はない。

CHECK□

1　指差呼称

　指差呼称とは、**信号や標識などを指で差し、その対象がもつ名称や状態を声に出して確認する**ことをいう。これは運転者の**錯覚、誤判断、誤操作等を防止**するための手段であり、運転者の意識レベルを高め、**有効な交通事故防止対策の手段**となる。

CHECK□

2　適性診断

　適性診断は、運転者の**運転能力、運転態度及び性格等を客観的に把握**し、運転者に自分の運転の傾向や事故を起こす**危険性を客観的に知ってもらう**ことで、安全な運転を目指すようその**自覚をうながすことを目的**とする。

ポイント　適性診断の目的は、あくまでも安全な運転のための**自覚をうながす**ことにあり、**運転に適さない者を選任しないことではない**。

CHECK□

3　ヒヤリ・ハット

　1件の重大災害（死亡・重傷）が発生する背景には、**29件の軽傷事故と300件のヒヤリとした経験やハッとした経験があること**を、ヒヤリ・ハットという。

　このヒヤリ・ハットを調査して、**減少させていくことは、交通事故防止対策の有効な手段**となる。

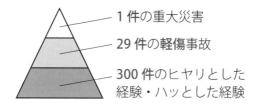

1件の重大災害
29件の軽傷事故
300件のヒヤリとした
経験・ハッとした経験

CHECK ☐ 4 事故防止対策のサイクル

交通事故の防止対策を効率的・効果的に講じていくためには、**事故情報を多角的に分析し**、**事故実態を把握した**うえで、①計画の策定、②対策の実施、③効果の評価、④対策の見直し及び改善、という**一連の交通安全対策の PDCA サイクルを繰り返す**ことが必要である。

> 🚌 **ポイント** ここでのポイントは、**事故情報の分析と、事故実態の把握をすることは、事故の再発防止に有効である**という点だ。**これらを行うよりも、事故惹起運転者に講習を受けさせるほうが重要**といった選択肢は、誤りとなる（講習等が再発防止に有効ではない、という意味ではない）。

過去問にチャレンジ！

① 指差呼称は、運転者の錯覚、誤判断、誤操作等を防止するための手段であり、道路の信号や標識などを指で差し、その対象が持つ名称や状態を声に出して確認することをいい、安全確認に重要な運転者の意識レベルを高めるなど交通事故防止対策に有効な手段の一つとして活用されている。

② 交通事故の防止対策を効率的かつ効果的に講じていくためには、事故情報を多角的に分析し、事故実態を把握したうえで、①計画の策定、②対策の実施、③効果の評価、④対策の見直し及び改善、という一連の交通安全対策の PDCA サイクルを繰り返すことが必要である。

③ 適性診断は、運転者の運転能力、運転態度及び性格等を客観的に把握し、運転の適性を判定することにより、運転に適さない者を運転者として選任しないようにするためのものであり、ヒューマンエラーによる交通事故の発生を未然に防止するための有効な手段となっている。

⋯⋯⋯⋯⋯⋯⋯⋯⋯⋯⋯⋯⋯⋯⋯⋯⋯⋯⋯⋯⋯⋯⋯⋯⋯⋯⋯⋯⋯⋯⋯

【答】

① ○ 記述のとおりである。

② ○ 記述のとおりである。

③ × 適性診断は、運転者の運転能力、運転態度及び性格等を客観的に把握し、運転者に自分の運転の傾向等を客観的に知ってもらうことで、安全な運転を目指すよう自覚をうながすことを目的としており、運転に適さない者を運転者として選任しないようにするためのものではない。

ROAD 4
交通事故の防止（その2）

重要度

> **合格への道**　ここでは「新しい技術を利用した機器」を用いることで、交通事故を防止しようとする話をまとめて紹介する。出題頻度は多くないが、難しい話ではないので、試験直前までに眺めておけば十分であろう。

CHECK □　1　ドライブ・レコーダー

　ドライブ・レコーダーとは、運転中の車内や自動車周囲の映像等を記録する車載装置である。**常時記録**するタイプと、自動車が一定以上の**衝撃等を受ける**と、衝撃前と衝撃後の前後十数秒間の映像を自動的に記録するタイプがあるが、**映像等だけではなく、運転者のブレーキ操作やハンドル操作等の運転状況を記録できるタイプ**のものもあり、**運転者の安全運転指導に活用できる。**

CHECK □　2　デジタル式運行記録計

　デジタル式運行記録計は、瞬間速度、運行距離及び運行時間の記録に加え、運行データの記録を電子情報として記録することにより、**急発進**、**急ブレーキ**、速度超過時間等の運行データの収集が可能になり、運転者の運転特性を把握し、**運転者の安全運転指導に活用することができる。運行管理者は、この記録を1年間保存しなければならない。**

　なお、**記録の保存期間**について、令和6年4月1日施行の法改正により、**令和6年度第2回試験から一般貸切旅客事業者運送事業者は3年間**となるの

■ デジタル式運行記録計 ■

記録できるもの

瞬間速度
運行距離
運行時間
運行データ
↓
急発進
急ブレーキ
速度超過時間等

このようなボックスタイプのものが多い。

➡これにより…
　運転者の**運転特性**を把握でき、運転者等ごとの**安全運転指導に活用する**ことができるほか、各運転者の**運行実績表**、**業務記録**等が容易に作成できる。

で注意すること。

　また、各運転者の**運行実績表**、**業務記録**などが、1 日、週間、月間ごとに容易に作成でき、運行管理者による**労務管理の効率化を図ることができる**。

　なお、**運行管理者**は、デジタル式運行記録計の記録図表等を用いて、最高速度記録の▼マークを確認することで最高速度超過はないか、急発進、急減速の有無を確認するなど、**記録データを基に運転者への安全運転、経済運転の指導**を行うことが望ましい。

3　衝突被害軽減ブレーキ

　衝突被害軽減ブレーキとは、**レーダー等で検知した前方の車両等に衝突する危険性**が高まった場合、運転者にブレーキ操作を行うよううながし、衝突する可能性が高くなると**自動的にブレーキが作動し**、衝突による被害を軽減させるためのものである。**環境によっては適切に作動しないこともあるため**、過信せず、運転者に対しては、**当該ブレーキの機能等を理解させる**とともに、**安全運転に努めるよう指導**する必要がある。

4　アンチロック・ブレーキシステム（ABS）

　アンチロック・ブレーキシステム（ABS）は、**急ブレーキ時などにタイヤがロック（回転が止まること）するのを防ぐ**ことによって、**車両の進行方向の安定性を保ち**、また、**ハンドル操作で障害物を回避できる可能性を高める**装置である。ABS を効果的に作動させるためには、**できるだけ強くブレーキペダルを踏み続けることが重要であり**、**この点を運転者に指導**する必要がある。

5　車線逸脱警報装置

　車線逸脱警報装置は、走行車線を認識し、**車線から逸脱した場合**や**逸脱しそうになった場合**に、運転者が**車線中央に戻す操作をするよう警報が作動**する装置である。

6　車両安定性制御装置

　車両安定性制御装置は、**急なハンドル操作**や**積雪がある路面の走行**などを原因とした**横転の危険**を、運転者へ警告するとともに、**エンジン出力やブレーキ力を制御し**、**横転の危険を軽減**させる装置である。

4

交通事故の防止（その2）

229

① 近年普及の進んできた安全運転支援装置等に関する次の文中、A、B、C、D に入るべき字句を下の枠内の選択肢（1～6）から選びなさい。

【A】は、走行車線を認識し、車線から逸脱した場合あるいは逸脱しそうになった場合には、運転者が車線中央に戻す操作をするよう警報が作動する装置

【B】は、レーダー等により先行車との距離を常に検出し、追突の危険性が高まったら、まずは警報し、運転者にブレーキ操作を促し、それでもブレーキ操作をせず、追突、若しくは追突の可能性が高いと車両が判断した場合において、システムにより自動的にブレーキをかけ、衝突時の速度を低く抑える装置

【C】は、急なハンドル操作や積雪がある路面の走行などを原因とした横転の危険を、運転者へ警告するとともに、エンジン出力やブレーキ力を制御し、横転の危険を軽減させる装置

【D】は、交通事故やニアミスなどにより急停止等の衝撃を受けると、その前後の映像とともに、加速度等の走行データを記録する装置（常時記録の機器もある。）

1. 衝突被害軽減ブレーキ	2. 映像記録型ドライブレコーダー
3. ふらつき注意喚起装置	4. 車線逸脱警報装置
5. デジタル式運行記録計	6. 車両安定性制御装置

② ドライブレコーダーは、事故時の映像だけでなく、運転者のブレーキ操作やハンドル操作などの運転状況を記録し、解析することにより運転のクセ等を読み取ることができるものがあり、運行管理者が行う運転者の安全運転の指導に活用されている。

③ ある運転者が、昨年今年と連続で追突事故を起こしたので、運行管理者は、ドライブレコーダーの映像等をもとに事故の原因を究明するため、専門的な知識及び技術を有する外部機関に事故分析を依頼し、その結果に基づき指導した。

• •

答
① A：4　B：1　C：6　D：2　228～229 ページの解説参照。

② ○　記述のとおりである。本問のように、記録を解析することで運転のクセ等を読み取ることができるものもあるので、安全運転の指導に活用できる。

③ ○　本問の指導は、適切である。

ROAD 5　視界

難度は高くないものの、選択肢の単位で出題される項目である。どれも易しい内容なので、出題された際は得点したいが、ケアレスミスには注意が必要である。

CHECK 1　視野

視野とは、目の位置を変えずに**見渡せる範囲**をいう。

人間の静止時の視野は通常、片目で左右それぞれ160度くらい、両目なら200度くらいである。

もっとも、自動車の**速度が速くなるほど**、運転者の**視野は狭く**なり、**遠くを注視**するようになるため、**近くが見えにくく**なる。

周辺の景色が視界から消え、近くから飛び出してくる歩行者などを見落としやすくなることを理解させるよう指導する。

CHECK 2　車間距離の感覚

前方の自動車との車間距離の感覚は、大型車から見た場合と乗用車から見た場合では、次のように異なる。

大型車の場合 ➡ 車間距離に**余裕があるように**感じる。

乗用車の場合 ➡ 車間距離に**余裕がないように**感じる。

ポイント 大型のバスだと、前方の自動車との**車間距離に余裕がある**ように感じるため、追突事故を起こしやすくなるわけである。

3 明順応と暗順応

明順応とは、暗いところから**明るい**ところへ出たとき、一時的に低下した視力が回復することをいう。

逆に**暗順応**とは、**明るい**ところから急に**暗い**ところに入ったときに、最初は何も見えないが、やがて少しずつ見えるようになることをいう。

> トンネルに入る前や出るときは、視力が一時急激に低下するので、自動車の速度を落とす必要がある。

■ 明順応と暗順応の違い ■

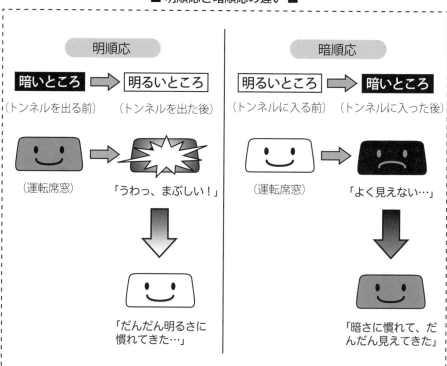

CHECK □ **4　眩惑**（げんわく）

　眩惑とは、夜間、対向車のヘッドライトなどを直接眼に受けて、まぶしさのために一瞬視力を失った状態になることをいう。

　視力の回復に時間を要することとなるので、**ライトを直視**しないようにする（視点をやや**左前方**に移すとよい）。

夜間の対向車ヘッドライト　→　「うわっ、まぶしい！」　→　「視点はやや**左前方**に」

CHECK □ **5　蒸発現象**

　自動車の夜間の走行時においては、**自車のライトと対向車のライトで、道路の中央付近の歩行者や自転車が見えなくなる**ことがあり、これを蒸発現象という。この蒸発現象は、暗い道路で特に起こりやすいため、夜間の走行の際には十分注意するよう、運転者に対し指導する必要がある。

自車のライトと、対向車のライトにより、歩行者等が見えなくなる。

5
視界

233

6　薄暮時の早めのライト点灯

　事故は薄暮時に多く発生する。そこで、ライトは**早めに点灯**し、他の自動車や歩行者等に自分の自動車の存在を知らせるようにする。

7　霧発生時の対処

　霧が発生すると視界が悪くなる。その対処としては、**前照灯や霧灯を早めに点灯**し、センターラインやガードレール、**直前の自動車の尾灯を目安**にし、速度を落として慎重な運転をするようにする。

　なお、**前照灯を上向き**にすると、霧に乱反射して見通しが悪くなるので、前照灯は**下向き**に点灯する。

8　死角

　死角とは、運転者が直接見ることができない箇所のことである。自動車には、後写鏡やアンダーミラー等が備えられ、構造上の死角が少なくなるように設計されているが、**それでも死角は存在する**ため、その点を意識した運転が必要である。

　また、死角といっても、自動車の構造上の死角だけではなく、**前走車や対向車など他の交通による死角、道路構造・建物・樹木等の道路環境による死角、夜間走行時の死角**等があるので、これらの死角の特性に注意した運転が必要であり、運転者に対し指導する必要がある。

　バス車両は、車両の直前に死角があり、子ども、高齢者、降車した乗客などが通行しているのを見落とすことがあるため、発車時には目視及びアンダーミラーによる車両直前の確認等の基本動作を確実に行うため、**運転者に対し、指差呼称及び安全呼称を励行する**ことを指導する必要がある。

> 🚌 **ポイント**　ここでのポイントは、「**それでも死角は存在する**」という点である。
> 例えば、問題文で「○○のため、死角はない」といった記述がある場合、それは誤った選択肢となる。

過去問にチャレンジ！

① 　自動車の夜間の走行時においては、自車のライトと対向車のライトで、お互いの光が反射し合い、その間にいる歩行者や自転車が見えなくなることがあり、これを蒸発現象という。蒸発現象は暗い道路で特に起こりやすいので、夜間の走行の際には十分注意するよう運転者に対し指導する必要がある。

② 　前方の自動車を大型車と乗用車から同じ距離で見た場合、それぞれの視界や見え方が異なり、大型車の場合には運転席が高いため、車間距離をつめてもあまり危険に感じない傾向となるので、この点に注意して常に適正な車間距離をとるよう運転者を指導する必要がある。

③ 　夜間、対向車線の自動車のヘッドライトを直接目に受けると、まぶしさのため一瞬目が見えなくなることがあるので、対向車のライトがまぶしいときは、視点をやや左前方に移して、目がくらまないようにする。

④ 　運転中の車外への脇見だけでなく、車内にあるカーナビ等の画像表示用装置を注視したり、スマートフォン等を使用することによって追突事故等の危険性が増加することについて、日頃から運転者に対して指導する必要がある。

⑤ 　バス車両は、車両の直前に死角があり、子ども、高齢者、降車した乗客などが通行しているのを見落とすことがある。このため、発車時には目視及びアンダーミラーによる車両直前の確認等の基本動作を確実に行うため、運転者に対し、指差し呼称及び安全呼称を励行することを指導する必要がある。

・・

答

① 　○　記述のとおりである。

② 　○　適切な記述である。

③ 　○　記述のとおりである。

④ 　○　記述のとおりである。本問の知識については解説では触れていないが、常識で判断できるだろう。

⑤ 　○　記述のとおりである。なお、ここで紹介した知識について、以前はそのまま知識が問われていたが、上記のように、近年では「指導監督」の要否という形での出題が多い。

5
視界

ROAD 6
走行時の現象と自動車の特性

合格への道 走行時の現象の難度は低いが、勘違いしやすいので注意が必要である。一方、自動車の特性は、かつてよく出題された項目で、今後は事例問題の形での出題も予想される。

CHECK ☐
1　自動車の走行時に生じる現象

　自動車の走行時に生じる現象には、次のようなものがある。各現象の名称と内容を混同しないよう注意すること。

現象名	内　容
ウエット・スキッド現象	雨の降りはじめにタイヤと路面の間にすべりやすい膜が生じ、自動車の方向が急激に変わったり、流されたり、スリップしたりする現象
ハイドロプレーニング現象	路面が**水**でおおわれているときに高速で走行することによって、タイヤの**排水作用**が悪くなり、タイヤが水上スキーのように**水の膜**の上を滑走する状態となって、**操縦不能**となる現象
フェード現象	**フット・ブレーキ**の使いすぎにより、ブレーキ・ドラムやブレーキ・ライニングが摩擦のため過熱し、その結果ドラムとライニングの間の摩擦力が減って**ブレーキの効きが悪くな**る現象
スタンディングウェーブ現象	タイヤの**空気圧不足**で高速走行したとき、タイヤの接地部に**波打ち現象**が生じ、**セパレーション**（剥離）や**コード切**れが発生する現象
ベーパー・ロック現象	**フット・ブレーキ**の使いすぎにより、ブレーキ・ドラムやブレーキ・ライニングが過熱し、その熱のため**ブレーキ液の中に気泡**が生じ、**ブレーキの効きが悪くなる**現象

ポイント　上記のように、**フェード現象**と**ベーパーロック現象**の説明はよく似ている。**ドラムとライニングの間の摩擦力が減る**のがフェード現象、**ブレーキ液の中に気泡が生じる**のがベーパー・ロック現象なので、両者を混同しないように注意しよう。

CHECK □ 2 自動車の特性等と運行の安全

　試験に出題される自動車の特性等には、次のようなものがある。

項目名	内　容
内輪差	自動車のハンドルを切り、旋回した場合、左右及び前後輪はそれぞれ別の軌跡を通る。仮に図のようにハンドルを左に切った場合、左側の後輪が左側の前輪の軌跡に対し内側を通ることとなるが、この前後輪の軌跡の差を内輪差という。ホイールベースの長い**大型車ほどこの内輪差が大きく**なるので、**大型車**を運転する運転者に対し、交差点での左折時には、内輪差による歩行者や自転車等との接触、巻き込み事故に注意するよう指導する必要がある。 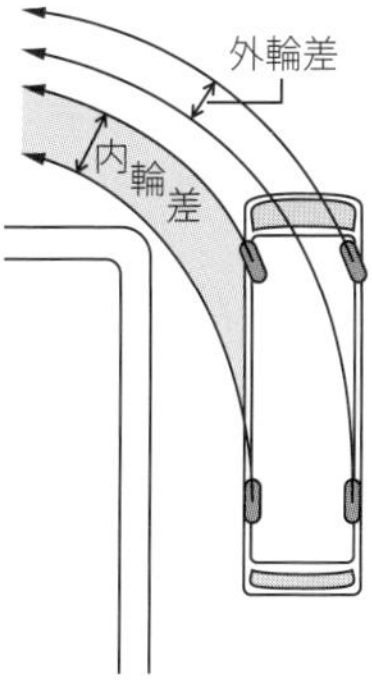 外輪差　内輪差
オーバーハング（最後輪より車両後端までのはみ出し部分）	車両全長が長い大型車が右左折する場合、ハンドルを一気にいっぱいに切ることにより、車体後部のオーバーハング部分の対向車線等へのはみ出し量が**大きく**なり、対向車などへの接触事故の危険が**高く**なる。大型車の右左折では、ハンドルを一気に切らないよう心がけるよう指導する。 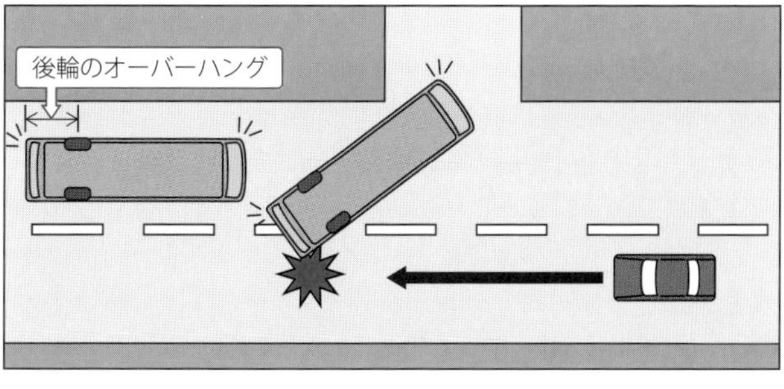 後輪のオーバーハング

遠心力	自動車の重量及び速度が同一の場合、**カーブの半径が2分の1になると、遠心力の大きさは2倍になる**。また、自動車の重量及びカーブの半径が同一の場合、**速度が2倍になると遠心力の大きさは4倍となる**。急カーブを走行する場合の横転等の危険性について、運転者に対し指導する必要がある。
慣性力	自動車に働く慣性力は、自動車の**重量**に**比例**して大きくなる。重量が増加すればするほど、制動距離が**長く**なるため、この点を考慮した適正な車間距離の確保について、運転者に対して指導する必要がある。
衝突時の衝撃力	**重量に比例して大きくなり、車両総重量が2倍になると、衝撃力は2倍になる**。また、重量が同じ2台の自動車が、**双方時速50キロメートルで正面衝突した場合の衝撃力は、時速100キロメートルで走行中の自動車が壁に衝突した場合と同じである**。**自車の速度だけではなく、相手の自動車の速度を加えた速度で衝撃力が発生**することから、常に安全な速度で運転するよう運転者に対し指導する必要がある。
速度と「遠心力・慣性力・衝撃力」の関係	自動車に働く遠心力、慣性力及び衝撃力は、**速度の2乗に比例して大きくなる**。つまり、**速度が2倍になれば、これらは4倍に、速度が3倍になれば、これらは9倍**となり、制動距離、運転操作及び事故時の被害の程度に大きく影響するため、常に制限速度を守り、適切な車間距離を確保し、運転するよう指導する必要がある。
追越し時の注意点	自動車が追越しをするときは、前の自動車の走行速度に応じた追越し距離、追越し時間が必要になるため、前の自動車と追越しをする自動車の**速度差が小さい場合**には**追越しに長い時間と距離が必要**になる。無理な追越しをしないよう、運転者に対し指導する必要がある。
二輪車に対する注意点	①二輪車も四輪車と同じように**急に停車できない**。 ②二輪車は**死角**に入りやすく、**存在**に気づきにくい。 ③二輪車は実際よりも、速度が**遅く**感じたり、距離が実際より**遠く**に見える。 という点を、運転者に対して指導する必要がある。

過去問にチャレンジ！

① ベーパー・ロック現象とは、フット・ブレーキを使い過ぎると、ブレーキ・ドラムやブレーキ・ライニングが摩擦のため過熱することにより、ドラムとライニングの間の摩擦力が減り、ブレーキのききが悪くなることをいい、これを防ぐには、急な下り坂や長い下り坂などでは、エンジン・ブレーキを使用し、フット・ブレーキのみの使用を避ける。

② スタンディングウェーブ現象とは、タイヤの空気圧不足で高速走行したとき、タイヤに波打ち現象が生じ、セパレーション（剥離）やコード切れが発生することをいい、これを防ぐには、予め高速走行するときには、空気圧を高めにする。

③ 自動車がカーブを走行するとき、自動車の重量及びカーブの半径が同一の場合には、速度が2倍になると遠心力の大きさも2倍になることから、カーブを走行する場合の横転などの危険性について運転者に対し指導する必要がある。

④ 四輪車を運転する場合、二輪車との衝突事故を防止するための注意点として、①二輪車は死角に入りやすいため、その存在に気づきにくく、また、②二輪車は速度が実際より速く感じたり、距離が近くに見えたりする特性がある。したがって、運転者に対してこのような点に注意するよう指導する必要がある。

・・

答

① ×　フット・ブレーキの使いすぎにより、ブレーキ・ドラムとブレーキ・ライニングの間の摩擦力が減るのは**フェード現象**である。

② ○　スタンディングウェーブ現象を防ぐには、高速走行をする前に、タイヤの空気圧を**高め**にしておく。

③ ×　遠心力は、速度の**2乗**に比例して大きくなる。自動車の重量及びカーブの半径が同一の場合には、速度が2倍になると遠心力の大きさは**4倍**になる。

④ ×　①については**正しい**が、②について、二輪車は速度が**遅く**感じたり、距離が実際より**遠く**に見える。

6

走行時の現象と自動車の特性

ROAD 7

車間距離に関する問題

合格への道　出題頻度は多くないが、丸々 1 問分として出題されることがあり、難しい問題ではないため解き方は確認しておきたい。少なくとも下記の 4 つの言葉の意味は把握しておくこと。

CHECK □ 車間距離の出し方

　本試験においては、「後車が前車の急ブレーキに気がついて、自車も急ブレーキをかけて停止した場合の前車との車間距離」などを問う問題がたまに出題されている。この手の問題を解くにあたっては、次の 4 つの言葉のイメージをしっかりと持っておくことが前提となる。

> **距離に関する 4 つの言葉のイメージ**
>
> ①空走時間…**危険を認知してから、ブレーキが効きはじめるまでの時間**
> ②空走距離…**危険を認知してから、ブレーキが効きはじめるまでの距離**
> ③制動距離…**ブレーキを踏んでから、停止するまでにかかる走行距離**
> ④停止距離…上記②＋③の走行距離（**危険認知から停止までの距離**）

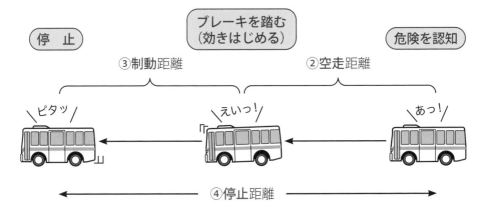

　さまざまな事例を前提として、実際の上記②～④の距離を求める問題が出題される。落ちついて状況を把握すれば、決して難しい問題ではないので、ここは過去問を見ながら算出方法を確認していこう。

過去問にチャレンジ！

①　時速 36 キロメートルで走行中の自動車を例に取り、運転者が前車との追突の危険を認知しブレーキ操作を行い、ブレーキが効きはじめるまでに要する空走時間を 1 秒間とし、ブレーキが効きはじめてから停止するまでに走る制動距離を 8 メートルとすると、当該自動車の停止距離は約 13 メートルとなるなど、危険が発生した場合でも安全に止まれるような速度と車間距離を保って運転するよう指導している。

②　高速自動車国道において、A 自動車（貸切バス）が前方の B 自動車とともにほぼ同じ速度で 50 メートルの車間距離を保ちながら B 自動車に追従して走行していたところ、突然、前方の B 自動車が急ブレーキをかけたのを認め、A 自動車も直ちに急ブレーキをかけ、A 自動車、B 自動車とも停止した。A 自動車、B 自動車とも安全を確認した後、走行を開始した。この運行に関する次のア～ウについて解答しなさい。

　　なお、下図は、A 自動車に備えられたデジタル式運行記録計で上記運行に関して記録された 6 分間記録図表の一部を示す。

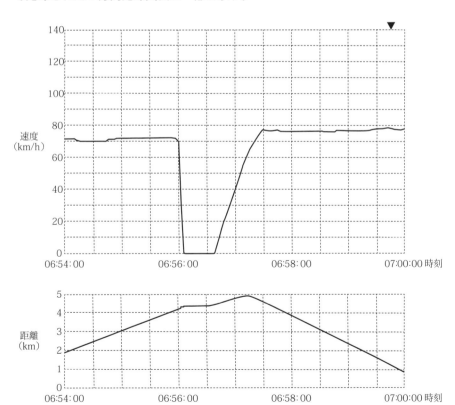

ア　左の記録図表からA自動車の急ブレーキを操作する直前の速度を読み取ったう
　　えで、当該速度における空走距離（危険認知から、その状況を判断してブレー
　　キを操作するという動作に至る間（空走時間）に自動車が走行した距離）を求
　　めるとおよそ何メートルか。次の①～②の中から正しいものを1つ選びなさい。
　　なお、この場合の空走時間は1秒間とする。
　　　①　15メートル　　②　20メートル

イ　A自動車の急ブレーキを操作する直前の速度における制動距離（ブレーキが実
　　際に効き始めてから止まるまでに走行した距離）を40メートルとした場合、A
　　自動車が危険を認知してから停止するまでに走行した距離は、およそ何メート
　　ルか。次の①～②の中から正しいものを1つ選びなさい。なお、この場合の空
　　走時間は1秒間とする。
　　　①　55メートル　　②　60メートル

ウ　B自動車が急ブレーキをかけA自動車、B自動車とも停止した際の、A自動車
　　とB自動車の車間距離は、およそ何メートルか。次の①～②の中から正しいも
　　のを1つ選びなさい。なお、この場合において、A自動車の制動距離及び空走
　　時間は上記イに示すとおりであり、また、B自動車の制動距離は35メートル
　　とする。
　　　①　25メートル　　②　30メートル

③　（空欄を補充する問題）
　　　　D　　とは、運転者が走行中に危険を認知して判断し、ブレーキ操作に至るま
　　での間に自動車が走り続けた距離をいう。自動車を運転するとき、特に他の自動
　　車に追従して走行するときは、危険が発生した場合でも安全に停止できるような
　　速度又は車間距離を保って運転するよう運転者に対し指導する必要がある。
　　1．制動距離　　2．空走距離

・・・

答
①　×　危険が発生した場合でも、安全に止まれるような速度と車間距離を保って
　　運転するよう指導することは正しい。しかし、「停止距離」は「空走距離＋制動距離」
　　で算出されるところ、時速36キロメートルの自動車が、空走時間1秒間で進む
　　距離（メートル）は、36,000メートル÷60（分）÷60（秒）＝10メートルである。
　　　よって、空走距離10メートル＋制動距離8メートル＝18メートルであり、本
　　問における当該自動車の停止距離は18メートルである。

②　ア：②　イ：②　ウ：①
ア　②20メートル　本問ではA自動車の空走距離が問われている。問題文におい
　　て「空走時間は1秒間」とあるので、A自動車が急ブレーキを操作した際、1

秒間に進む距離を求めればよい。

　1つ目の記録図表を見ると、時刻「06:56:00」のところから、**急激に速度が0に向かっているので、ここで急ブレーキを操作したことがわかる**。そして、この時刻「06:56:00」の速度は「80」と「60」の中間地点なので、**70km/h** である。よって、**70km/h で1秒間に進む距離**を求めればよい。

　1km＝1,000mであるため、70km＝70,000mとなる。そして、1時間は3,600秒である。したがって、「70km/時」を秒速に換算すると、70,000（m）÷ 3,600（秒）＝ 19.444…≒ 20（m/秒）となる。

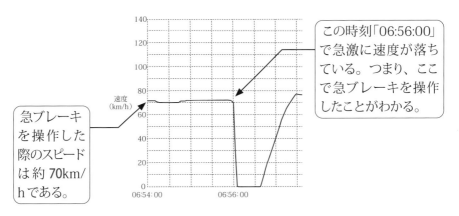

イ　②60メートル　本問では**A自動車が危険を認知してから停止するまでに走行した距離（停止距離）**が問われている。停止距離は「空走距離＋制動距離」で求められるところ、「**空走距離**」は、選択肢アの解答で約20メートルとわかっており、問題文において「**制動距離…を40メートル**」とあるので、これらを足して、約60メートルであることがわかる。

ウ　①25メートル　本問では、**A自動車、B自動車とも停止した際の、A自動車とB自動車の車間距離**が問われている。

　もともと、AB自動車は50メートルの車間距離を保っており、選択肢イの解答において、後ろを走っていたA自動車の停止距離は約60メートルであることはわかっている。

　そして、問題文から前を走っていた「B自動車の制動距離は35メートル」であるため、**本問の急ブレーキ操作によって、AB間の車間距離は60－35＝25メートル縮まった**ことになる。

　よって、もともとの車間距離である50メートルから、この縮まった25メートルを引いて、ともに停止した際のAB自動車の車間距離は25メートルとなる。

③　**2. 空走距離**　運転者が走行中に危険を認知して判断し、ブレーキ操作に至るまでの間に自動車が走り続けた距離は、**空走距離**である。

7 車間距離に関する問題

ROAD 8

事故の再発防止対策

重要度

合格への道
具体的な事例を前提に「事故の再発防止対策」や「指導」内容の実効性を問う問題が出題される。問題文は長いが、簡単な部類の問題なので解き方を確認しておこう。

CHECK 1　事故の再発防止対策の問題とは

「事故の再発防止対策」の問題は、問題文で提示された事故と、それを受けて立てた再発防止対策や、事故の分析結果から提示される**事故防止のための指導**について、**直接的に有効**なものを選択する形式で出題される。

問題において、再発防止対策等はたくさんの提案がなされており、基本的には、そのどれもが「事故防止」の観点からは正しい。しかし、「**当該事故**」の「**再発防止**」という観点からは、直接的には関係のない対策も含まれているということだ。

ここも問題を見ないと伝わりにくいので、実際に出題された過去問題を見ながら、解き方を確認してみよう。

CHECK 2　実際の過去問を見ながら確認しよう

では、実際の過去問題を見ながら解き方を確認していく。

//

問　平成28年中の乗合バスによる死亡・重傷事故について、事業用自動車の交通事故統計及び自動車事故報告規則により提出された事故報告書に基づき、下記のとおり、事故の特徴やその要因についての分析結果が導かれた。この分析結果をもとに、【事業者及び運行管理者が実施すべき事故低減対策のポイント】の中から【事故防止のための指導】として、A、B、Cに当てはまる最も直接的に有効と考えられる組合せを下の枠内の選択肢（①〜⑧）からそれぞれ1つ選びなさい。なお、解答にあたっては、下記に記載されている事項以外は考慮しないものとする。

（問題は次ページに続く）

【死亡・重傷事故の特徴】

平成28年中の乗合バスによる死亡・重傷事故は131件であり、事故類型別にみると単独事故が約半数を占めており、その大半は車内事故である。車内事故を除く事故を車両の走行等の態様別にみると、直進時が66％、右折時が21％、左折時が4％となっている。

車内事故	直進時の事故	右折時の事故
・発進時及び減速・急停止時に多い。 ・被害者は75～84歳の女性が多い。	・直進時の事故のうち、自転車との事故が42％、歩行者等との事故が33％、他の車両等との事故が25％となっている。	・右折時の事故のうち、歩行者等との事故が57％、他の車両等との事故が43％となっている。 ・回送など運転者のみのときに多く発生している。

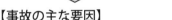

【事故の主な要因】

・乗客が着席したものと誤認して発進 ・乗客が走行中に立ち上がったり移動したりすることがある	・自転車の挙動に対する運転者の認識の甘さ ・自転車の側方を通過する際、間隔が不十分、減速・徐行が不十分 ・慣れている道による気の緩み ・車線変更時の安全確認不足 ・寝不足による注意力散漫	・車両の片側の安全確認不足 ・回送による気の緩み、注意力不足 ・対向車の後方の安全確認不足

【事故防止のための指導】

A	B	C

【事業者及び運行管理者が実施すべき事故低減対策のポイント】

ア　慣れている直進道路などでは、気の緩みが追突事故を誘発することから、慎重な運転と適正な車間距離をとるよう運転者に対し指導する。

イ　高齢の乗客が走行中に席を立ち車内を移動した場合、バスが停車してから席を立つように乗客に注意喚起をするよう運転者に対し指導する。

ウ　衝突被害軽減ブレーキを装着したバスの運転者に対しては、当該装置は、いかなる走行条件においても、前方の車両等に衝突する危険性が生じた場合には、確実にレーダー等で検知したうえで自動的にブレーキが作動し、衝突を確実に回避できるものであることを十分理解させる。

エ　右折するときは、対向車に注意して徐行するとともに、右折したその先の状況にも十分注意を払い走行するよう運転者に対し指導する。

オ　前方に自転車を見かけたら、歩道を走行していても車道に降りてくるか

もしれないと予測するなど自転車の挙動に注意して運転するよう運転者に対し指導する。

カ　バスを発車しようとするときは、乗車してきた乗客が着席又は手すり等につかまったことを車内に備えられたミラー等で確認するとともに、発車する前にその旨を車内アナウンスするよう運転者に対し指導する。

キ　乗合バスは、定時運行を確保する必要があることから、各停留所の到着時刻等を遵守し、運行しなければならないことを運転者に対し指導する。

ク　運転者が体調不良や睡眠不足で運転することがないよう、運転者の体調や通勤時間などを考慮した無理のない乗務割を行う。

ケ　回送時も乗客がいるときと同様に集中して運転を行うよう運転者に対し指導する。

コ　発進、停止時等において滑らかで静かな運転となるよう、デジタルタコグラフ等を活用して、運転者が客観的に自身の走行状況を把握し、運転技術の向上を図るよう運転者に対し指導する。

サ　右折するときは、対向車の速度が遅い場合などは自車の速度を落とさず交差点をすばやく右折するよう運転者に対し指導する。

シ　右折時に対向車が接近しているときは、その通過を待つとともに、対向車の後方にも車がいるかもしれないと予測して、対向車の通過後に必ずその後方の状況を確認してから右折するよう運転者に対し指導する。

---

①	アウオ	②	アウク	③	アオク	④	イカキ
⑤	イカコ	⑥	イカサ	⑦	エケサ	⑧	エケシ

　問題文が長いので、それだけで難しそうに感じるかもしれないが、全くそんなことはない。本問では「**車内**」「**直進時**」「**右折時**」の**事故**について「**事故の主な要因**」があげられており、**それぞれの事故の防止対策（指導内容）を枠Ａ〜Ｃへと、<u>ア〜シから選んで入れればよい</u>**。ポイントは「**事故の主な要因**」と各選択肢の<u>キーワードのリンク</u>である。具体的に見ていこう。

〔車内事故（枠A）について〕

245ページの【事故の主な要因】を見ると、**車内事故の主な要因**としては、「乗客が着席したものと誤認して発進」、「乗客が走行中に立ち上がったり移動したりすることがある」があげられている。

そこで、**対策となる選択肢ア～シを眺めてみると、グレーで目立たせた原因に対して、以下の指導がそのまま合致**すると判断できるだろう。

イ　高齢の乗客が走行中に席を立ち車内を移動した場合、バスが停車してから席を立つように乗客に注意喚起をするよう運転者に対し指導する。

カ　バスを発車しようとするときは、乗車してきた乗客が着席又は手すり等につかまったことを車内に備えられたミラー等で確認するとともに、発車する前にその旨を車内アナウンスするよう運転者に対し指導する。

コ　発進、停止時等において滑らかで静かな運転となるよう、デジタルタコグラフ等を活用して、運転者が客観的に自身の走行状況を把握し、運転技術の向上を図るよう運転者に対し指導する。

つまり、「**乗客が着席**」「**乗客が走行中に席を立ち**」「**発進、停止時等において滑らかで静かな運転**」というキーワードが、上記の選択肢に入っている。以上より、**枠Aには⑤が入る**こととなる。たくさんの指導（対策）があがっているので混乱するかもしれないが、**キーワードに着目**すればよいだけだ。

なお、冒頭の設問文で「車内事故」の具体的な内容が書かれているわけではないが、上記の内容を読めば「車内事故」が、乗客が着席していなかったり、手すりにつかまっていない状況でバスを動かしてしまい、乗客が転倒してしまうといった事故を指すことはわかるだろう。

〔直進時の事故（枠B）について〕

同様に見ていくと、**直進時の事故**についての**主な要因**としては、「自転車の挙動に対する運転者の認識の甘さ」、「自転車の側方を通過する際、間隔が不十分、減速・徐行が不十分」、「慣れている道による気の緩み」、「車線変更時の安全確認不足」、「寝不足による注意力散漫」があげられている。

そこで、**対策となる選択肢ア～シを眺めてみると、グレーで目立たせた原因に対して、以下の指導がそのまま合致**することがわかるだろう。

8　事故の再発防止対策

247

> ア　慣れている直進道路などでは、気の緩みが追突事故を誘発することから、慎重な運転と適正な車間距離をとるよう運転者に対し指導する。
>
> オ　前方に自転車を見かけたら、歩道を走行していても車道に降りてくるかもしれないと予測するなど自転車の挙動に注意して運転するよう運転者に対し指導する。
>
> ク　運転者が体調不良や睡眠不足で運転することがないよう、運転者の体調や通勤時間などを考慮した無理のない乗務割を行う。

　つまり、「慣れている直進道路など…気の緩み」「自転車の挙動」「睡眠不足（寝不足）」というキーワードが、上記の選択肢にはしっかり入っているのだ。以上より、**枠Bには③が入る**こととなる。

〔右折時の事故（枠C）について〕
　右折時の事故についての主な要因としては、「車両の片側の安全確認不足、回送による気の緩み」、「注意力不足」、「対向車の後方の安全確認不足」があげられている。そこで、**選択肢ア〜シ**を眺めてみると、**以下の指導が合致**することがわかる。

> エ　**右折**するときは、対向車に注意して徐行するとともに、**右折したその先の状況にも十分注意**を払い走行するよう運転者に対し指導する。
>
> ケ　回送時も乗客がいるときと同様に集中して運転を行うよう運転者に対し指導する。
>
> シ　**右折時に対向車が接近**しているときは、その通過を待つとともに、**対向車の後方にも車がいるかもしれないと予測**して、対向車の通過後に**必ずその後方の状況を確認してから右折**するよう運転者に対し指導する。

　選択肢エが悩ましいかもしれないが、ここは「右折時の事故」の話であり、この**枠Cにおける1つのキーワードは「右折」**である。各選択肢を見た際に「右折」というキーワードが入っているのは、上記エとシのほかには、次ページの選択肢サだけだ。

> サ　**右折**するときは、対向車の速度が遅い場合などは自車の速度を落とさず交差点をすばやく**右折**するよう運転者に対し指導する。

　この選択肢サでは「**対向車の速度が遅い場合**」について記されているが、**右折時の事故の主な要因**では、この点について**何も触れられていない**。よって、この**選択肢サ**は、**本問で提示された事故**についての対策としては、**直接的に有効な対策ではない**。

　そこで、選択肢サと比較した結果、選択肢エが**適切**であると判断できよう。以上より、**枠C**には⑧が入ることとなる。

　以上より、「**事故の再発防止対策**」の問題は、**提示された事故原因等と対策**（指導）における**キーワードに注目**しながら、**素直に選択肢を選ぶ**ことで正解できる問題である。

 ちょこっとアドバイス!!

この「**事故の再発防止対策**」に関する問題は、**国語の問題のような側面**がある。このような問題については、以下のポイントを意識したい。

　　①**問題文にあるキーワードに注目**する。
　　②問題文から**素直に考える**。

上記②について、**あくまでも「当該事故」の再発防止対策**が問われているということを意識しよう。各選択肢で挙げられる対策は、事故防止という観点からは正しいものが多いため、「正しいことを言っているじゃないか！」などと考え、"問い"から離れてしまうと、間違うこととなるのだ。**素直に問題文が何を聞いているか、何が書かれているかを観察したい**。

ROAD
9

危険予知訓練

重要度

合格への道

危険予知訓練は、近年から出題されはじめたテーマだ。出題頻度は多くないが、難しい内容ではないため、実際の過去問を確認しながら解き方を確認しておけば対応できる。

CHECK □　1　危険予知訓練とは

危険予知訓練とは、道路交通に潜む危険を事前に予測し、適切に対応することで交通事故を未然に防止しようとする訓練である。交通安全教育において、事故防止効果のある手法とされている。

この危険予知訓練に関する問題では、運転者が「予知すべき危険要因」から、運転者に何を指導すべきかという「指導事項」を解答すること（又はその逆）が求められるが、前ページまでの「事故の再発防止対策」と同じく、易しい部類の問題である。

というのも、国語の問題として捉え、問題文を読んで、準備された解答を素直に選んで答えれば正答できるからだ。

CHECK □　2　実際の過去問を見ながら確認しよう

危険予知訓練についても、実際の過去問題を見たほうがわかりやすいので、さっそく問題の確認に入ろう。

問　運行管理者が運転者に対して実施する危険予知訓練に関する次の記述において、問題に示す【交通場面の状況等】を前提に、危険要因などを記載した表中の A、B に最もふさわしいものを【運転者が予知すべき危険要因の例】の①〜⑤の中から、また、C、D に最もふさわしいものを【運行管理者による指導事項】の⑥〜⑩の中からそれぞれ 1 つ選びなさい。

（問題は次ページに続く）

【交通場面の状況等】

・信号機のある交差点を右折しようとしている。 ・右折先の道路に駐車車両があり、その陰に歩行者が見える。 ・対向直進車が接近している。	・制限速度：時速60キロ ・路　　面：乾燥 ・天　　候：晴 ・車　　両：乗合バス ・乗　　客：15名 ・運　転　者：年齢58歳 ・運転経験：30年

運転者が予知すべき危険要因の例		運行管理者による指導事項
対向車が交差点に接近しており、このまま右折をしていくと対向車と衝突する危険がある。	➡	C
A	➡	右折の際は、横断歩道の状況を確認し、特に横断歩道の右側から渡ってくる自転車等を見落としやすいので意識して確認をすること。
右折していく道路の先に駐車車両の陰に歩行者が見えるが、この歩行者が横断してくるとはねる危険がある。	➡	D
B	➡	対向車が通過後、対向車の後方から走行してくる二輪車等と衝突する危険があるため、周辺の交通状況をよく見て安全を確認してから右折すること。

9
危険予知訓練

【運転者が予知すべき危険要因の例】

① 右折時の内輪差による二輪車・原動機付自転車などの巻き込みの危険がある。

② 横断歩道の右側から自転車又は歩行者が横断歩道を渡ってくることが考えられ、このまま右折をしていくと衝突する危険がある。

③ 車幅が広いため、右折する交差点で対向車線へはみ出して衝突する危険がある。

④ 右折時に対向車の死角に隠れた二輪車・原動機付自転車を見落とし、対向車が通過直後に右折すると衝突する危険がある。

⑤ 急停止すると乗客が転倒するなど車内事故の危険がある。

【運行管理者による指導事項】

⑥ 対向車の速度が遅い時などは、交差点をすばやく右折し、自転車横断帯の自転車との衝突の危険を避けること。

⑦ スピードを十分落として交差点に進入すること。

⑧ 対向車があるときは無理をせず、対向車の通過を待ち、左右の安全を確認してから右折をすること。

⑨ 交差点に接近したときは、特に前車との車間距離を十分にとり、信号や前車の動向に注意しながら走行すること。

⑩ 交差点内だけでなく、交差点の右折した先の状況にも十分注意を払い走行すること。

━━

　長い問題文だが難しいことはない。問題文の空欄となっているＡ〜Ｄについて、それぞれ【運転者が予知すべき危険要因の例】又は【運行管理者による指導事項】で準備された文章から埋めればよいだけだ。

　そして、**【運転者が予知すべき危険要因の例】**は、**これから運転者に起こりうる危険のこと**であり、**それに対して、運転者に何を指導すべきなのか**という**【運行管理者による指導事項】は対応関係**にある。

　つまり、**これら２つの事がらは同じ事がらについての話をしている**ので、**空欄となっている他方の文章がヒント**になるのだ。具体的に見ていこう。

　まず、「**危険要因の例**」の空欄 A に対応する「**指導事項**」には、「**右折の際
は…特に横断歩道の右側から渡ってくる自転車等を見落としやすいので意識
して確認をする**」とある。

　よって、空欄 A の「**危険要因の例**」は、「**横断歩道の右側から渡ってくる自
転車等**」ということであり、②が入る。このように<u>素直に対応する文章を検
討</u>すればよい。

　次に「**危険要因の例**」の空欄 B に対応する「**指導事項**」には、「**対向車が通
過後、対向車の後方から走行してくる二輪車等と衝突する危険**」とある。つ
まり、すでに危険要因が書かれている。

　よって、空欄 B の「**危険要因**」は、「**右折時に対向車の死角に隠れた二輪
車・原動機付自転車を見落とし、対向車が通過直後に右折すると衝突する危険**」
という④が入る。

　今度は逆に、「**指導事項**」の空欄 C に対応する「**危険要因の例**」には、「**対
向車が交差点に接近…対向車と衝突する危険**」とある。この対向車と衝突す
る危険に対して、指導する内容を選べばよいので、「**対向車があるときは無理
をせず、対向車の通過を待ち**」という⑧が入る。

　最後に、「**指導事項**」の空欄 D に対応する「**危険要因の例**」には、「**右折し
ていく道路の先に駐車車両の陰に歩行者が見えるが、この歩行者が横断して
くるとはねる危険**」とある。この危険に対して、指導する内容を選べばよい
ので、「**交差点の右折した先の状況にも十分注意を払い走行する**」という⑩が
入る。

　以上のように、確認してしまえば何も難しいことはないことがわかろう。
まとめると、危険予知訓練に関する問題は「**危険**」と「**指導内容**」という、
<u>**対応する（同じ）文章を素直に選べば、正解できる**</u>問題である。慣れてしま
えば得点源にできるので、解答方法を確認しておこう。

ROAD 10　運行計画と配置基準

重要度

> **合格への道**　運行計画に関する問題は、ここまでの知識を駆使して解く問題だ。運行計画に関する問題の中でも、ここでは解説していなかった「配置基準」を使う問題に焦点を当てて確認しておく。

CHECK ☐ 1　運行計画に関する問題について（総論）

　運行計画に関する問題は、**運行管理者が立てた運行計画**が195ページ以降で解説した「**改善基準**」や、後ほど解説する「**配置基準**」より適切な内容となっているかを問う問題である。問題によっては道交法の知識も必要となり、ここまでの学習内容を駆使して解く問題といえよう。

　運行計画に関する問題には、大きく分けて「**改善基準**」もしくは「**配置基準**」が絡む2つのパターンの問題があり、このうち「**改善基準**」が絡むパターンの問題は、**労基法関係（第4章）の分野で学習した知識を使えば解ける。**

　しかし、「**配置基準**」については、ここまでで触れていなかったため、ここでは「**配置基準**」のポイントとなる知識を紹介しつつ、「**配置基準**」が絡むパターンの問題についての処理方法を確認していく。なお、配置基準では、原則規定のほかに、様々な「**例外**」規定もあるが、ここでは、問題を解くにあたって必要な原則規定をメインに紹介する。

CHECK ☐ 2　「配置基準」における用語の確認

　「配置基準」に関する問題を解くには、前提として、いくつかの用語を把握しておかなければならない。これらは「配置基準」に関する問題を解くにあたって必須の知識であるため、以下の用語は押さえておくこと。

---

①実車距離

　実際に旅客がいるか否かにかかわらず、**旅客を乗車させることとして設定した区間で運行**（実車運行）**した距離。**

　⇒運転した距離と考えてよいが、**回送運行を含まない！**

　　回送運行は、旅客の乗車を前提としていないからだ。

---

②一運行

1人の運転者の1日（始業から起算して24時間）の乗務のうち、回送運行を含む、運転開始から終了までの一連の乗務。

↓ただし、

1人の運転者が1日に2つ以上の実車運行に乗務し、**その間に連続1時間以上の休憩を確保する場合**であって、当該休憩の直前及び直後に回送運行があるときには、当該休憩前後の実車運行は、それぞれ別運行となる。

> 例えば、**夜に出発して目的地に到着後（往路）、現地で宿泊して休憩し、元の出発地点に戻る（復路）**といったケース。往路と復路はそれぞれ「一運行」（別運行）となる。問題では、このパターンの事例が多い。

③夜間ワンマン運行

「ワンマン運行」とは、車掌が乗務せず、運転者1人で行うバス等の運行方法をイメージすればよい。そして、**夜間ワンマン運行は、最初の旅客の乗車時刻、もしくは、最後の旅客の降車時刻が、午前2時から午前4時までの間にあるか、当該時刻をまたぐ**（最初の旅客の乗車と最後の旅客の降車がこの時間を挟んでいる）ワンマン運行のこと。

※「昼間ワンマン運行」は、「夜間ワンマン運行」に該当しないワンマン運行。

では、以上の用語を把握したことを前提に、配置基準における規制内容を確認していこう。

CHECK ☐ 3 「配置基準」における主な規制（距離）

配置基準では、運行する「距離」に関する規制と「時間」に関する規制をしている。まずは、「距離」に関する規制を確認する。

(1)「1日における実車距離」の規制

1人の運転者が1日の乗務の中で、2つ以上の運行に乗務する場合、1日の合計実車距離は600kmを超えないものとする。

(2)「一運行の実車距離」の規制

① 「昼間ワンマン運行」の一運行の実車距離は、500㎞を超えないものとする。

② 「夜間ワンマン運行」の一運行の実車距離は、400㎞を超えないものとする。

⬇

ただし、次のイ及びロに該当する場合は、500㎞を超えないものとする。

イ　当該運行の運行直前に 11 時間以上の休息期間を確保している場合

ロ　当該運行の一運行の乗務時間が 10 時間以内であること、又は、当該運行の実車距離 100㎞から 400㎞までの間に運転者が身体を伸ばして仮眠することのできる施設（車両床下の仮眠施設等、リクライニングシート等の座席を含む。）において仮眠するための連続 1 時間以上の休憩を確保している場合

CHECK ☐ **4 「配置基準」における主な規制（時間と休憩）**

次に、運行する「時間」と「休憩」に関する規制内容を確認する。

①1 日の運転時間（回送を含む）は、運行指示書上、9 時間を超えないものとする。
②昼間・夜間ワンマン運行の一運行の運転時間は、運行指示書上、実車運行区間における 9 時間を超えないものとする。
③高速道路の実車運行区間において、連続運転時間は、運行指示書上、概ね 2 時間までとする。
④夜間ワンマン運行の実車運行区間においては、運行指示書上、運転時間概ね 2 時間ごとに連続 20 分以上（一運行の実車距離が 400㎞以下の場合にあっては、実車運行区間における運転時間概ね 2 時間ごとに連続 15 分以上）の休憩を確保する。

以上である。このくらいの規定を押さえていれば、試験問題に対応できる可能性が高い。実際の問題を確認してみよう。なお、最初の問題は「配置基準」の確認用のものであり、「運行計画」の問題ではない。

⎰過去問にチャレンジ！⎱

① 　一般貸切旅客自動車運送事業者の過労防止等についての国土交通省で定めた「貸切バスの交替運転者の配置基準」に関する次の記述のうち、誤っているものを1つ選びなさい。なお、解答にあたっては、各選択肢に記載されている事項以外は考慮しないものとする。

1. 貸切バスの交替運転者の配置基準に定める夜間ワンマン運行（1人乗務）において、運行直前に11時間以上休息期間を確保している場合など配置基準に規定する場合を除き、1運行の実車距離は600キロメートルを超えないものとする。
2. 貸切バスの交替運転者の配置基準に定める夜間ワンマン運行（1人乗務）の1運行の運転時間は、運行指示書上、9時間を超えないものとする。
3. 貸切バスの交替運転者の配置基準に定める夜間ワンマン運行（1人乗務）の実車運行区間においては、連続運転時間は、運行指示書上、概ね2時間までとする。
4. 貸切バスの交替運転者の配置基準に定める夜間ワンマン運行（1人乗務）の実車運行区間においては、運行指示書上、実車運行区間における運転時間概ね2時間毎に連続20分以上（1運行の実車距離が400キロメートル以下の場合にあっては、実車運行区間における運転時間概ね2時間毎に連続15分以上）の休憩を確保しなければならない。

答

① 　1：×　2：○　3：○　4：○
1. ×　夜間ワンマン運行（1人乗務）においては、運行直前に11時間以上の休息期間を確保している場合などを除き、**1運行の実車距離は、400キロメートルを超えないものとされている。**
2. ○　夜間ワンマン運行（1人乗務）の**1運行の運転時間**は、運行指示書上、9時間を超えないものとされている。
3. ○　夜間ワンマン運行（1人乗務）の実車運行区間においては、**連続運転時間は、**運行指示書上、**概ね2時間まで**とされている。
4. ○　夜間ワンマン運行（1人乗務）の実車運行区間においては、運行指示書上、**実車運行区間における運転時間概ね2時間毎に連続20分以上**（1運行の実車距離が400キロメートル以下の場合にあっては、実車運行区間における運転時間**概ね2時間毎に連続15分以上**）の休憩を確保しなければならないとされている。

② 　貸切バス事業の営業所の運行管理者は、旅行業者から下の運送依頼を受けて、次のとおり運行の計画を立てた。国土交通省で定めた「貸切バスの交替運転者の配置基準」（以下「配置基準」という。）等に照らし、この計画を立てた運行管理者の判断に関する1〜3の記述の中から正しいものをすべて選びなさい。なお、解答にあたっては、＜運行の計画＞及び各選択肢に記載されている事項以外は考慮しないものとする。

（旅行業者からの運送依頼）

　ハイキングツアー客（以下「乗客」という。）38 名を乗せ、A 地点を 23 時 25 分に出発し、D 目的地に翌日の 4 時 20 分に到着する。その後、E 目的地を 14 時 40 分に出発し、G 地点に 19 時 30 分に到着する。

＜運行の計画＞

ア　デジタル式運行記録計を装着した乗車定員 45 名の貸切バスを使用する。運転者は 1 人乗務とする。

イ　運転者は、本運行の開始前 10 時間の休息をとった後、始業時刻である 22 時 30 分に業務前点呼を受け、点呼後 23 時に営業所を出発する。A 地点において乗客を乗せた後 23 時 25 分に D 目的地に向け出発する。途中の高速道路のパーキングエリアにて、2 回の休憩をとり業務途中点呼後に、D 目的地には翌日の 4 時 20 分に到着する。

　　乗客を降ろした後、当該運転者は、指定された宿泊所に向かい、当該宿泊所において電話による業務後点呼を受けた後、5 時 00 分に往路の業務を終了し、9 時間休息する。

ウ　14 時 00 分に電話による業務前点呼を受け、14 時 15 分に出発し、E 目的地において乗客を乗せた後 14 時 40 分に G 地点に向け出発する。復路も高速道路等を運転し、2 回の休憩をはさみ、G 地点には 19 時 30 分に到着する。

　　乗客を降ろした後、運転者は、19 時 55 分に営業所に帰庫し、業務後点呼の後、20 時 25 分に終業し、翌日は休日とする。

（往　路）

点呼等 業務前	回送	乗車	運転	運転(高速道路)	休憩	運転(高速道路)	休憩	業務途中点呼	運転(高速道路)	運転	降車	回送	点呼等 業務後
30分	10分	15分	30分	1時間	15分	1時間20分	15分	5分	1時間	30分	15分	10分	15分
	5 km		20km	90km		100km			90km	10km		5 km	

22時30分　　23時25分　　　　　　　　　　　　　　　　　　4時20分　　5時00分
営業所　　A地点　（B料金所）　　　　　　　　　　（C料金所）D目的地　指定された宿泊所

（復　路）

点呼等 業務後	回送	降車	運転	運転(高速道路)	休憩	運転(高速道路)	休憩	運転(高速道路)	運転	乗車	回送	点呼等 業務前
30分	10分	15分	30分	1時間	15分	1時間20分	15分	1時間	30分	15分	10分	15分
	5 km		80km	100km			80km	10km		5 km		

営業所　　G地点　（B料金所）　　　　　　　　（F料金所）　　E目的地
20時25分　19時30分　　　　　　　　　　　　　　　　14時40分　　14時00分

1.　当該運行計画の 1 日における実車距離は、配置基準に定める限度に違反していないと判断したこと。

2.　1 日における運転時間は、配置基準に定める限度に違反していないと判断したこと。

3. 往路運行の実車運行区間の途中における休憩の確保は、配置基準に定める限度に違反していないと判断したこと。

【答】

［2］　1：○　2：×　3：○

1. ○　本肢では「1日における実車距離」が、配置基準に違反しているか否かが問われている。この点、1人の運転者が1日の乗務の中で、2つ以上の運行に乗務する場合、1日の合計実車距離は600kmを超えないものとされている。

まず、本問の運行が「2つ以上の運行」といえるかについて、1人の運転者が1日に2つ以上の実車運行に乗務し、その間に連続1時間以上の休憩を確保する場合で、当該休憩の直前及び直後に回送運行があるときには、当該休憩前後の実車運行は、それぞれ別運行となる。本問の「往路」と「復路」の間には、指定された宿泊所で9時間の休憩があり、その直前と直後に回送運行があるため、これらは別運行となり、「2つ以上の運行」といえる。よって、後は実車距離の合計が600kmを超えなければよいが、「実車距離」には回送運行を含まない点に注意すること。

「往路」における実車距離は310km（20km＋90km＋100km＋90km＋10km）であり、「復路」における実車距離は290km（10km＋80km＋100km＋80km＋20km)である。合計で600kmを超えていない(600kmちょうど)ため、配置基準には違反していない。

2. ×　本肢では「1日における運転時間」が、配置基準に違反しているか否かが問われている。配置基準によると、1日の運転時間とは、1人の運転者が回送運行を含む1日の乗務で運転する時間をいうとされており、1日の運転時間は、運行指示書上、9時間を超えないものとするとされている。

「往路」の運転時間は、4時間40分（10分＋30分＋1時間＋1時間20分＋1時間＋30分＋10分）であり、「復路」の運転時間は4時間40分（10分＋30分＋1時間＋1時間20分＋1時間＋30分＋10分）である。したがって、1日の運転時間は9時間20分であり、9時間を超えているため、配置基準に違反している。

3. ○　本肢では「往路」運行の実車運行区間の途中にある「休憩」が、配置基準に違反しているか否かが問われている。

この点、「夜間ワンマン運行」の実車運行区間においては、運行指示書上、実車運行区間における運転時間概ね2時間毎に連続20分以上（一運行の実車距離が400km以下の場合にあっては、実車運行区間における運転時間概ね2時間毎に連続15分以上）の休憩を確保していなければならないとされている。

本肢の「往路」は、23時25分の直前に最初の旅客が乗車し、午前4時20分から最後の旅客が降車している。午前2時から午前4時をまたぐワンマン運行であるため「夜間ワンマン運行」に当たる。

そして、往路における実車距離は310km（400km以下）であるため、実車運行区間における運転時間概ね2時間毎に連続15分以上の休憩を確保していなければならないところ、本問の往路において、配置基準に定める限度に違反している箇所はない。

10

運行計画と配置基準

さくいん

（引きやすいよう重複して掲載している用
語もあります）

各試験の出題法令基準日までに施行される法改正や本書に関する
正誤等の最新情報は、下記のアドレスでご確認ください。
http://www.s-henshu.info/ukrgt2405/

上記掲載以外の箇所で正誤についてお気づきの場合は、**書名・発行日・質問事項**（該当
ページ・行数・問題番号などと誤りだと思う理由）・**氏名・連絡先**を明記のうえ、お問
い合わせください。
・webからのお問い合わせ：上記アドレス内【正誤情報】へ
・郵便またはFAXでのお問い合わせ：下記住所またはFAX番号へ
※電話でのお問い合わせはお受けできません。

[宛先]コンデックス情報研究所
　　　『運行管理者〈旅客〉合格テキスト』係
　住　所：〒359-0042　所沢市並木3-1-9
　FAX番号：04-2995-4362（10:00〜17:00　土日祝日を除く）

※本書の正誤以外に関するご質問にはお答えいたしかねます。また、受験指導などは行っておりま
せん。
※ご質問の受付期限は、**各試験日の10日前必着**といたします。
※回答日時の指定はできません。また、ご質問の内容によっては回答まで10日前後お時間をいた
だく場合があります。
あらかじめご了承ください。

■編著：コンデックス情報研究所
　　1990年6月設立。法律・福祉・技術・教育分野において、書籍の企画・執筆・編集、大学および通信教
　　育機関との共同教材開発を行っている研究者・実務家・編集者のグループ。

いちばんわかりやすい! 運行管理者〈旅客〉合格テキスト
2024年8月20日発行

編　著　コンデックス情報研究所
　　　　　　　　　　　じょう ほう けん きゅう しょ

発行者　深見公子

発行所　成美堂出版
　　　　　〒162-8445　東京都新宿区新小川町1-7
　　　　　電話(03)5206-8151　FAX(03)5206-8159

印　刷　株式会社フクイン